LOS GÉNEROS ENSAYÍSTICOS HISPANOAMERICANOS

HISTORIA CRÍTICA
DE LA LITERATURA HISPÁNICA-35

HISTORIA CRÍTICA
DE LA LITERATURA HISPÁNICA
Dirigida por Juan Ignacio Ferreras

TÍTULOS DE LA COLECCIÓN

TEODOSIO FERNÁNDEZ

LOS GÉNEROS ENSAYÍSTICOS HISPANOAMERICANOS

taurus
®

Cubierta
de
MANUEL RUIZ ÁNGELES

Este libro ha sido compuesto mediante una Ayuda a la Edición de las Obras que componen el Patrimonio literario y científico español, concedida por el Ministerio de Cultura.

© 1990, Teodosio FERNÁNDEZ
© 1990, ALTEA, TAURUS, ALFAGUARA, S. A.
Juan Bravo, 38 - 28006 MADRID
ISBN: 84-306-2535-6
Depósito legal: M. 39.686/1990
PRINTED IN SPAIN

ÍNDICE

HISTORIA

1. INTRODUCCIÓN

Estas páginas no pretenden descubrir qué es el ensayo, o en qué se diferencian los quizá variados géneros ensayísticos. Quienes se han ocupado de sus manifestaciones hispanoamericanas y han tratado de delimitar el objeto de su estudio, no han dejado de señalar que se trata de «una de las formas más proteicas de la literatura» (Skirius, 1981: 9), han invocado los precedentes ilustres de Michel de Montaigne o de Francis Bacon, y han recordado que el término «ensayo» no aparece en la crítica literaria hispánica antes de fines del siglo XIX. Entre las definiciones que se han propuesto, prefiero la de Alfonso Reyes, quien se refirió a «este centauro de los géneros, donde hay de todo y cabe todo, propio hijo caprichoso de una cultura que ya no puede responder al orbe circular y cerrado de los antiguos, sino a la curva abierta, al proceso en marcha, al "etcétera" cantado ya por un poeta contemporáneo preocupado de filosofía» (Reyes, 1959: IX, 403). James Willis Robb, buen conocedor del gran humanista mexicano, advertiría que esa forma flexible tolera estilos distintos y permite la exploración de cualquier tema, desde cualquier punto de vista y con variable extensión. «Su carácter netamente personal y su tendencia a lo más bien asistemático e informal —trató de precisar— es lo que suele distinguirlo de la monografía o tratado exhaustivamente sistemático» (Reyes, 1977: 91). Tal vez conviene añadir que la originalidad suele contar entre sus valores, y que resulta particularmente apto para el comentario, para la reflexión, para la exposición doctrinaria.

El lector podrá encontrar confirmada aquí esa condición proteica del género o de los géneros que de algún modo pueden considerarse «ensayísticos»: daré cuenta de producciones muy dispares en dimensiones y en factura, atentas a temas y problemas muy diversos. Incluso he de referirme, inicialmente, a las «crónicas de Indias», ese conjunto de escritos relacionados con el descubrimiento y la conquista de América que constituye un género independiente, cuyo interés literario nadie cuestiona, aunque nadie haya podido determinar con exactitud dónde reside. En consecuencia, los textos analizados tal vez sólo toleran una definición negativa: no pertenecen al ámbito de la ficción narrativa, ni al de la lírica, ni al del teatro. Procuraré, eso sí, que siempre tengan una relación, siquiera indirecta, con la literatura, y con el pensamiento que también determina la literatura.

2. LAS CRÓNICAS DE INDIAS

El descubrimiento y la conquista de América dieron lugar a multitud de escritos —cartas, diarios, historias— que registraron con precisión admirable los hechos acontecidos, sus protagonistas, los distintos territorios, el carácter y las costumbres de sus habitantes, sus reacciones ante el conquistador, el pasado precolombino, la colonización y evangelización, y todo cuanto se relacionase con el Nuevo Mundo. Sin discriminación, esos escritos en su conjunto han terminado por conocerse como «crónicas de Indias», aunque en rigor esa denominación podría haberse reservado para los informes realizados por los cronistas «oficiales» que la Corona nombró a partir de 1526, y que con el tiempo dieron lugar al cargo de «Cronista Mayor de Indias». Las obligaciones asignadas a este nuevo funcionario pueden definir también las tareas realizadas por sus predecesores: a todos correspondía «tener siempre hecha descripción y averiguación cumplida y cierta de todas las cosas del Estado de las Indias, así de la tierra como de la mar, naturales y morales, perpetuas y temporales, eclesiásticas y seglares, pasadas y presentes», según consta en Ordenanzas Reales de 1571 (Esteve Barba, 1964: 112).

Los cronistas «oficiales» ya habían tratado de hacer todo eso a la vez, y alguno lo consiguió, pero lo cierto es que a la ingente tarea de fijar los testimonios contribuyeron muchos y en muy distinta medida, y que los textos que han llegado hasta nosotros son muy heterogéneos. Para clasificarlos se ha podido seguir criterios muy diversos —según el momento a que se refieren (descubrimiento, conquista y colonización, viajes, exploraciones y aventuras), según la «nacionalidad» (española, criolla, india o mestiza) del autor o su condición laica o eclesiástica, según se trate de crónicas generales o circunscritas a determinados hechos o territorios, según sean oficiales o particulares, o de testimonio directo o indirecto, o en prosa o rimadas—, y ninguno resuelve todas las dificultades. Tal vez, porque permite establecer alguna relación con los aspectos literarios de las crónicas, conviene recordar que Esteve Barba (1964: 6-20) distinguió las crónicas de los conquistadores, que tratarían de seguir paso a paso los acontecimientos y se caracterizarían por la espontaneidad y la sencillez, de las escritas por humanistas influidos por los historiadores clásicos, o de las que sirvieron a los eclesiásticos para demostrar su erudición bíblica y sus recursos oratorios, o de aquellas en que escritores indígenas o mestizos dejaron testimonio del pasado prehispánico y de la simbiosis cultural que ellos mismos representaban. Sin duda esa clasificación ignora muchos aspectos de las crónicas, como los diversos «géneros» (cartas, diarios, relaciones) que integran, pero al menos permite constatar distintos momentos en el proceso temporal —por lo demás inevitable— de su aparición: se inicia, como es natural, con cartas, diarios de navegación y relaciones breves —de Cristóbal Colón (c. 1451-1506) han llegado hasta nosotros algunas cartas y fragmentos del diario del primer viaje—, a los que suceden los relatos minuciosos de las campañas, a cargo de historiadores soldados o de cronistas que han recogido los testimonios y los han elaborado de acuerdo con su formación humanística, si la tenían; luego es la hora de las crónicas de los misioneros, relativas por lo común a la evangelización de los indígenas y, con el tiempo, a la actuación de las propias órdenes religiosas en América: y por último, cuando ya se ha producido cierto mestizaje cultural, aparecen las crónicas de autor indio o mestizo, complicando la complejidad de un género que ofrece notables manifestaciones a lo largo de los siglos XVII y XVIII, y que se ajusta a los gustos estéticos y a las preocupaciones intelectuales de cada momento.

Estas distinciones previas no son del todo inútiles, al menos si sirven para dar entrada a otras consideraciones que de algún modo ya afectan a la condición literaria de las crónicas. Frente a los humanistas, que habrían proyectado su formación clásica sobre los hechos contemporáneos, la crítica ha preferido la «espontaneidad» de estilo de los cronistas soldados, a veces por misteriosas razones —el caso más evidente es el de los muy reeditados *Naufragios y comentarios* de Alvar Núñez Cabeza de Vaca (1507-1559)—, a veces por su indudable atractivo. Su muestra más representativa es la *Historia verdadera de la conquista de la Nueva España*, donde Bernal Díaz del Castillo (*c*. 1496-1585), soldado de Hernán Cortés, dejó constancia de que la conquista de México había sido el resultado de un esfuerzo común, y no sólo atribuible a los méritos del famoso caudillo. Para el futuro significaría una aportación historiográfica notable —desde que se publicó en Madrid, en 1632— y una creación literaria excepcional, relacionable con sus aciertos descriptivos, con la naturalidad de su manera narrativa. Para su autor se trataba de hacer justicia, de narrar la verdad de unos hechos que él había visto y vivido, y que, en su opinión, algunos cronistas habían desfigurado en sus relatos. El culpable principal había sido Francisco López de Gómara (1511-*c*. 1562), quien, desde España, había elaborado para mayor honra de Hernán Cortés su *Historia de las Indias y conquista de México* (1552). López de Gómara era un humanista, y un entusiasta del imperio español y de la gesta de la conquista, pues no en vano «la mayor cosa después de la creación del mundo, sacando la encarnación y muerte del que lo crió, es el descubrimiento de Indias» (López de Gómara, 1954: I, 5). Conjugaba la influencia de los historiadores clásicos, evidente en su obra, con la pretensión de reflejar con rigor y exactitud los acontecimientos ocurridos, pero su credibilidad quedaba en entredicho al no haber asistido a los sucesos que narraba. Otros cronistas hicieron de su condición de testigos una prueba de la veracidad de sus testimonios —baste con recordar a Pedro Cieza de León (*c*. 1520-1560), quien ofrece esas garantías en el prólogo a su *Crónica del Perú* (1553), o a Agustín de Zárate (*c*. 1514-1560), autor de una *Historia del descubrimiento y conquista de la provincia del Perú, con las cosas que señaladamente allí se hallan y los sucesos que ha habido* (1555)—, pero a Bernal reservaba el futuro una valoración inesperada, y tal vez injusta: porque la vista de la ciudad de México hizo recordar a los conquistadores «las cosas de encantamiento que cuentan en el libro de Amadís» (Díaz del Castillo, 1982: 176), su memorial de méritos y servicios —muchas de las crónicas no eran otra cosa— se llegaría a leer como una visión maravillada o fantástica de la realidad que descubrieron sus ojos, una realidad que habría hecho palidecer a las fábulas de las novelas de caballerías, y que él habría descrito con el lenguaje que esas novelas le prestaron, y con los que le ofrecían el romancero y el cancionero tradicional. Ese sería el secreto formidable de su popular manera de narrar.

Entre los cronistas «oficiales» es obligado mencionar al menos a Gonzalo Fernández de Oviedo (1478-1557), el primero en desempeñar esas funciones —su predecesor en el cargo fue fray Antonio de Guevara (c. 1480-1545), quien no parece haberlo ejercido—, para las que fue nombrado en 1532. Frente a quienes no habían salido de España, también él manifestó la convicción de que una «historia verdadera» había de basarse en lo visto y vivido —el rival era esta vez Pedro Mártir de Anglería (c. 1457-1526), un italiano al servicio de la corona española que desde 1511 había ido dando a conocer sus «décadas» *De orbe novo*—, y la conjugó con la defensa de una postura «oficial» ante los hechos de la conquista, exaltados en función del engrandecimiento de la nación española que significaban. Sus escritos no siempre se refirieron a América y no siempre fueron de carácter historiográfico —su *Libro del muy esforzado e invencible caballero de fortuna propiamente llamado don Claribalte* (1519) ha sido frecuentemente invocado como prueba de la confluencia entre los libros de caballería y las crónicas, incluso en la pluma de un mismo autor—, pero con el Nuevo Mundo tienen que ver el *Sumario de la Natural Historia de las Indias*, que publicó en 1526, y sobre todo la monumental *Historia General y Natural de las Indias*, cuyos diecinueve libros iniciales se publicaron en Sevilla en 1535 —el XX apareció en Valladolid, en 1552, y los restantes no llegaron a editarse hasta 1851—, y que es a la vez la obra excepcional de un historiador, de un etnólogo y de un naturalista. A Fernández de Oviedo se deben espléndidas descripciones de animales, vegetales y minerales, un minucioso testimonio de su propia experiencia americana y de las experiencias ajenas, y una opinión no demasiado favorable de los indígenas. Eso sin entrar en la discusión de las justificaciones de la conquista, que para él es un hecho consumado.

Esa actitud lo enfrentó tempranamente al dominico Bartolomé de las Casas (1474-1566), prototipo de los defensores del indígena, sin duda más atractivo por ello que por sus imprecisables cualidades de escritor. Juan Ginés de Sepúlveda (c. 1490-1573), cronista de la corte y capellán del emperador Carlos V, fue su contradictor fundamental, y contra él y contra casi todos —la visión positiva de la conquista, aunque con matices diversos, es compartida por los conquistadores, por los humanistas y por los cronistas oficiales— Las Casas condenó apasionadamente la penetración española y la colonización en forma de encomiendas, y propugnó la evangelización pacífica o conquista espiritual como la única posible. La lucha incansable de este «protector universal de todos los indios» se tradujo también en numerosos escritos, entre los que destacan de manera especial algunos títulos: la *Brevísima relación de la destrucción de las Indias* (1552), base fundamental de la «leyenda negra»; la *Historia de las Indias*, que con voluntad de denuncia vuelve sobre el relato total de los descubrimientos y conquistas realizados hasta 1520; y la *Apologética Historia*, donde se resaltan las maravillas del Nuevo Mundo y las excelencias de sus habitantes, éstos superiores en cualidades a griegos y romanos, al menos en lo relativo a cuestiones religiosas, y que de alguna manera fue el primer estudio antropológico que América suscitó. En este sentido otros frailes llegarían más lejos, en estudios de interés indudable, incluso cuando la retórica moralizante y el pensamiento escolástico condicionaron la visión de la realidad americana. Las tareas evangelizadoras exigieron el análisis de las culturas autóctonas, con resultados tan espléndidos como la *Historia de los Indios de la Nueva España*, de fray Toribio de Benavente, «Motolinía» (*c.* 1490-1569), la *Relación de las cosas de Yucatán*, de fray Diego de Landa (1524-1579), o —especialmente— la *Historia General de las cosas de la Nueva España*, de fray Bernardino de Sahagún (*c.* 1500-1590), quien, en náhuatl que él mismo vertió al castellano, reunió una minuciosa información sobre todos los aspectos de la cultura azteca, fundamental todavía hoy para el conocimiento de esa cultura. Junto a las aportaciones de esos franciscanos merecen mención también las excepcionales del jesuita José de Acosta (1540-1600), cuyas observaciones sobre el Nuevo Mundo se tradujeron en distintas obras. Entre ellas destaca la *Historia Natural y Moral de las Indias* (1590), donde se ocupó del pasado y de las costumbres de los indígenas, pero centró su atención sobre todo en averiguar las «causas y razón» de las «novedades y extrañezas» de la naturaleza americana, incluso para contradecir a las autoridades de la antigüedad. El espíritu científico del Renacimiento encontró en sus escritos una manifestación destacada.

Las aportaciones de los indígenas y mestizos, con frecuencia deudores de los misioneros, son singularmente atractivas. En castellano o en lenguas amerindias, ofrecieron a veces «la visión de los vencidos» y trataron de recuperar el pasado prehispánico, aunque la visión de ese pasado, desde luego, está ya determinada por la cultura europea. De ese mestizaje surge uno de los cronistas más brillantes y a la vez uno de los mejores escritores del renacimiento hispánico: el Inca Garcilaso de la Vega (1539-1616). Merecen recordarse su traducción de los *Diálogos de Amor*, de León Hebreo, y su crónica *La Florida* (1605), «epopeya en prosa» sobre la expedición de Hernando de Soto, pero es sobre todo el autor de los *Comentarios reales* (o *Primera parte de los Comentarios Reales*, 1909), y de su segunda parte, la que tituló *Historia general del Perú*, de aparición póstuma en 1617. En España, donde vivió a partir de 1560, sintió la necesidad de afianzar su identidad mestiza (era hijo de una princesa incaica y de un capitán extremeño) y ninguna obra del período colonial expresa mejor las dimensiones ideales del proceso que se había desarrollado en el Nuevo Mundo. Escritos con la modesta ambición de precisar las informaciones de los cronistas anteriores, los *Comentarios reales* aprovechan las fuentes escritas que el Inca tuvo a su alcance, pero sobre todo sus recuerdos de infancia y juventud en el Cuzco: las historias que había escuchado a sus parientes indios, historias sobre un pasado grandioso en el que brillaban las hazañas de los Incas y su labor civilizadora frente a la bárbara bestialidad de los pueblos sometidos al Incario. La nostalgia del Perú y del pasado contribuye también a que esa relación de los sucesos y costumbres del Perú prehispánico resulte idealizadora, manifestación ante todo de la identificación del autor con su tierra natal y con su sangre india. Desde luego, el Inca también se mostró orgulloso de su ascendencia hispánica, y la *Historia general de Perú* se ha interpretado como manifestación de esta otra cara de su identidad: es la relación de los sucesos relativos a la conquista española del Perú, y de los ocurridos después en aquellas tierras. Interesa sobre todo —evocación otra vez de sus tiempos del Cuzco— su testimonio de los levantamientos y de las guerras civiles que agitaron por entonces la vida peruana. Aunque menos alabada que los *Comentarios reales*, esta parte de su obra muestra una vez más las cualidades de su prosa, alabada como modelo de elegancia expresiva, de simplicidad y belleza clásicas. Porque el Inca, por encima de su discutido interés histórico, ha sido apreciado como excepcional y tardío representante de la prosa renacentista, caracterizada por la mesura y el equilibrio entre la expresión y los contenidos, por su sobria belleza formal.

Otras crónicas de indígenas o mestizos merecen atención, y entre las que más la han llamado en tiempos recientes está la *Nueva corónica y buen gobierno* del peruano Felipe Guamán Poma de Ayala (*c.* 1534-?), concluida para 1615. En un difícil castellano contaminado de quechua, y con numerosos dibujos que ilustran el texto, Guamán Poma evocó también una antigua grandeza, esta vez para contrastarla con el triste presente del autor —se consideraba de origen divino, descendiente de importantes familias prehispánicas— y el de los indios sometidos a la brutalidad de los colonizadores. Frente a la opinión del Inca Garcilaso, negador de esa Edad de Oro asociada a una sociedad primitiva aún no sujeta a leyes, la *Nueva corónica y buen gobierno* habla de tiempos felices que precedieron al Incario, y hace de la historia un proceso de continua degradación. El sentimiento «mágico» de la naturaleza y una fantasía desbordada —efecto en buena medida de una disparatada cronología y de una fusión indiscriminada de leyendas y creencias autóctonas y europeas— hacen de esa obra una confirmación de la realidad maravillosa de América.

El siglo XVII continuaba así la producción historiográfica, en la que abundaron cada vez más las refundiciones de relatos anteriores, al tiempo que los afanes de originalidad se centraban con preferencia en la erudición y el retorcimiento formal, cuando no en las pretensiones moralizadoras. Eso no quiere decir que siempre careciesen de calidad «literaria», notable en la *Historia de los hechos de los castellanos en las islas y tierra firme del mar océano* (o *Décadas*), del Cronista Mayor Antonio de Herrera y Tordesillas (1549-1625), o en la *Historia de la conquista de México, población y progreso de la América Septentrional conocida con el nombre de Nueva España*, de Antonio de Solís y Rivadeneyra (1610-1686), también Cronista Mayor. No faltan las de un particular y novedoso interés anecdótico, como las *Noticias historiales de las conquistas de Tierra Firme en las Indias Occidentales*, de fray Pedro Simón (*c.* 1581-*c.* 1630), o *El Paraíso del Nuevo Mundo, comentario apologético, historia natural y peregrina de las Indias occidentales, islas y tierra firme del mar océano* (1656), donde Antonio de León Pinelo (1596-1660), conocido sobre todo por las aportaciones bibliográficas de su *Epítome de la Biblioteca Oriental y Occidental, Náutica y Geográfica* (1629), abundó en datos y noticias sobre las maravillas de América. Un caso significativo —tal vez el más significativo, pues es el mejor ejemplo de una crónica interesada en lo cotidiano— es también el de *Conquista y descubrimiento del Nuevo Reino de Granada, con algunos casos sucedidos en este Reino que van en la historia para ejemplo, y no para imitarlos, por el daño a la conciencia,* más conocida por el curioso e inexplicado título de *El carnero,* y cuyo autor fue el neogranadino Juan Rodríguez Freile (1566-1630?). La atención se centra en el relato desenfadado de breves historias, a manera de cuentos que dan a la crónica una apariencia fragmentaria. Así se integran anécdotas y noticias numerosas sobre un siglo de vida en la colonia, o sobre la vida en Santa Fe de Bogotá desde los orígenes de la ciudad hasta 1636, año en que el autor dio por concluido su trabajo. Una intención moralizadora lo impulsaba —lo demuestran sobre todo las digresiones sermonarias que incrementan la configuración barroca del texto—, y a la vez la atracción de lo escandaloso, de lo mundano y galante, cuando no escabroso. *El carnero* se convierte así en excelente muestra de una crónica alejada de los grandiosos temas de la conquista, atenta a los sucesos menores de la vida ordinaria.

Otras crónicas del XVII merecen mención, como la *Historia de las conquistas del Nuevo Reino de Granada,* del clérigo bogotano Lucas Fernández de Piedrahita (1624-1688), o la *Histórica relación del Reino de Chile y de las misiones y ministerios que ejercita en él la Compañía de Jesús* (1646), del jesuita chileno Alonso de Ovalle (1601-1651), en quien alguna vez se ha visto al verdadero descubridor de la naturaleza americana, con sus descripciones del paisaje andino. Tal vez es aún mayor el interés de la titulada *Cautiverio feliz y Razón de las guerras dilatadas de Chile,* donde el chileno Francisco Núñez de Pineda y Bascuñán (1607-1680), con erudición barroca y entre digresiones tan numerosas que dan a la obra un carácter de miscelánea, narró sus experiencias entre los indios araucanos —fue su prisionero durante siete meses en 1629— y propuso remedios para la guerra interminable. Y un carácter distinto tienen, al final del siglo XVII, los escritos históricos del mexicano don Carlos de Sigüenza y Góngora (1645-1700), toda vez que se perdieron varias monografías que había dedicado al mundo prehispánico y otros trabajos sobre el período posterior a la conquista. Sólo han llegado hasta nosotros *Glorias de Querétaro* (1680), relato de la fundación y construcción de la iglesia dedicada a la Virgen de Guadalupe en esa ciudad, y algunas crónicas «contemporáneas», a modo de manifestaciones embrionarias de periodismo: en *Trofeo de la justicia española en el castigo de la alevosía francesa* (1691), en la *Relación de lo sucedido a la armada de Barlovento* (1691) y en el *Mercurio Volante con la noticia de la recuperación de las provincias del Nuevo México* (1693) dio cuenta de sucesos militares recientes, y condición de reportaje tiene también la relación que tituló *Alboroto y motín de los indios de México el 9 de junio de 1692*, en la que se ocupó de un levantamiento popular motivado por la carestía de los cereales. Ninguno de esos escritos iguala el atractivo del que en 1690 dio a conocer como *Infortunios que Alonso Ramírez, natural de la ciudad de San Juan de Puerto Rico, padeció así en poder de los ingleses piratas que lo apresaron en las islas Filipinas como navegando por sí solo, y sin derrota, hasta varar en las costas del Yucatán, consiguiendo por este medio dar la vuelta al mundo*. Sigüenza y Góngora parecía limitarse a reiterar por escrito la relación que de esa «peregrinación lastimosa» había hecho su protagonista, pero en esos *Infortunios de Alonso Ramírez* se ha visto con frecuencia una manifestación precoz de la narrativa hispanoamericana de ficción. Quizá puede decirse otro tanto de la autobiografía que Catalina de Erauso (1585-1650), «la Monja Alférez», dejó en la *Relación verdadera de las grandes hazañas y valerosos hechos que una mujer hizo en veinte y cuatro años que sirvió en el Reino de Chile y otras partes al Rey nuestro señor, en hábito de soldado*. Se había publicado en Madrid, en 1625.

Por lo demás, hay que tener en cuenta que crónicas se escriben a lo largo de todo el período colonial, y que desde el principio no sólo se consignan hechos de armas o políticos, sino observaciones y noticias sobre sus habitantes, la flora, la fauna y otros aspectos de la naturaleza americana. Ya avanzado el siglo XVIII, las crónicas permiten observar que nace y se desarrolla un espíritu nuevo, preocupado por acercarse con objetividad al mundo indígena y por relatar los hechos con espíritu crítico. Ese espíritu se acentuó cuando los americanos trataron de dar respuesta a las «calumnias» que los intelectuales europeos habían vertido en obras como *Recherches philosophiques sur les américains* (1768-1769), del holandés Cornelius de Paw, la *Histoire philosophique et politique des établissements et du comerce des européens dans les deux Indes* (1770), del francés François Raynal, o la *History of America* (1777), del escocés William Robertson. Los jesuitas, directamente afectados por las acusaciones, fueron protagonistas en esa polémica, y lo fueron sobre todo desde Italia, donde se habían establecido tras su expulsión de los dominios españoles. De ellos interesa en especial Francisco Javier Clavijero (1731-1787), que en los años 1780-1781 publicó en Cesena y en italiano su *Historia antigua de México*, escrita con la finalidad declarada de «restituir a su esplendor la verdad ofuscada por una turba increí- ble de escritores modernos de la América» (Clavijero, 1958: I, 5), tanto en lo referente a la actuación española como a las teorías sobre la naturaleza de los indígenas. Un profundo conocimiento del medio, de su geografía, botánica y zoología, y de las diversas fuentes de información a su alcance, tanto españolas como indígenas, le permitieron escribir un espléndido tratado en el que desarrolló la historia del Anáhuac y sus distintos habitantes y dominadores hasta la caída de Tenochtitlán en poder de Cortés, y describió la geografía, las plantas y los animales característicos, con todo lo relativo a la cultura indígena. Su admiración por las realizaciones de aquel mundo perdido, la nostalgia de su tierra natal y tal vez un sentimiento regionalista lo llevan, sin enconarse con los españoles, a situarse del lado de los vencidos. Era un primer paso hacia la conquista de una identidad americana aún insospechada.

Por lo demás, la historiografía del XVIII poco añade al interés de la generada por los siglos anteriores, y menos aún en relación con la literatura. Otra vez debe tenerse en cuenta que las «crónicas de Indias» se escribieron generalmente sin propósito literario confesado. A la hora de la verdad cada cual demostró sus capacidades, o una crítica casi siempre superficial y reiterativa se las atribuyó o discutió posteriormente. Las preferencias —como habrá podido comprobarse— se han inclinado por algunos autores en particular, pero lo fundamental es que las crónicas, en su conjunto, supusieron la creación verbal de América, incluso cuando no se redactaron en castellano, como en los casos señalados de Américo Vespucio (1451-1512), que escribió en italiano cinco cartas sobre sus expediciones, y de Pedro Mártir de Anglería, que empleó el latín en sus «décadas» *De orbe novo*, para no entrar en las que se escribieron en inglés, en alemán o en náhuatl. Porque la tuvo el descubrimiento de América, las crónicas tuvieron a veces una extraordinaria repercusión en el mundo cultural y científico de la época, pero su interés literario quizá está relacionado sobre todo con el futuro, cuando determinados aspectos de la historiografía indiana parecen haber fecundado de manera especial la literatura hispanoamericana posterior, o la literatura contemporánea de Hispanoamérica ha determinado una peculiar lectura de aquella historiografía. Lo cierto es que nuestro tiempo, ávido de maravillas y de fantasía, ha encarecido sobre todo los aspectos más insólitos de los textos, aquellos que muestran el encuentro con un mundo ignoto, en torno al cual cobraron actualidad noticias fabulosas de extracción muy diversa. En efecto, Colón pudo sentirse cerca del Ganges y del Paraíso Terrenal, se recordaron las referencias de Platón a la Atlántida o de Séneca a Thule, se creyó alguna vez recuperar la Edad de Oro, o alcanzar el misterioso esplendor del Cipango visitado por Marco Polo, o descubrir «cosas de encantamiento» semejantes a las relatadas en los libros de Amadís. Las crónicas recogieron y difundieron noticias sobre gigantes y amazonas, noticias que hablaban de la Fuente de la Eterna Juventud, o de la riqueza inmensa de la ciudad de Manoa, de la ciudad de los Césares o de las siete ciudades de Cibola, de las tierras de Eldorado o del país de Jauja. A ese cúmulo de leyendas, de extracción medieval o renacentista, se sumaron otras sobre el pasado precolombino, que son especialmente frecuentes en cronistas mestizos o indígenas —buen ejemplo lo constituyen los presagios que anunciaron la llegada de los españoles, que parecen haberse registrado en todas partes—, y no hay que desdeñar la aportación de los clérigos, propensos a identificar las culturas autóctonas con manifestaciones demoníacas, o a detectar residuos de una antigua evangelización: la *Corónica moralizada del Orden de San Agustín en el Perú, con sucesos ejemplares en esta monarquía*, de fray Antonio de la Calancha (1584-1654), ofrece buenas muestras de esos razonamientos, que alguna vez hicieron de Santo Tomás el responsable fundamental de la primera cristianización de América, y en México permitieron la identificación de ese apóstol con Quetzalcóalt, el dios civilizador de los toltecas.

Eso no debe hacer olvidar que los cronistas pretendieron, sobre todo, rigor. Daban testimonio de lo que ocurría, y lo «maravilloso» del Nuevo Mundo ocupó para su atención un bien escaso lugar: eran otros los temas que interesaron entonces, como el derecho de España sobre las tierras descubiertas y conquistadas

—esa discusión había de ser decisiva en el desarrollo del derecho internacional—, o el trato que había de darse a los indios, o la mera relación de los avatares de la conquista y de la colonización. Para Europa, desde luego, América tuvo otros significados. Colón había dado las primeras noticias sobre tierras de una naturaleza grandiosa y fértil, y sobre indios generosos, mansos, inocentes, amantes de sus prójimos y fáciles de cristianizar por no ser idólatras. Esa visión idealizadora, que no había de ser la preferida por los cronistas españoles —estaban seguros de la superioridad de su civilización, y de cumplir un designio providencial al imponerla—, reaparecería en las cartas de Vespucio, quien también se refirió a la riqueza sin límites de las tierras descubiertas y a la bondad primitiva de sus habitantes, y luego en las «décadas» *De orbe novo*, donde Pedro Mártir de Anglería da por «cosa averiguada» que aquellos indígenas «poseen en común la tierra, como la luz y el sol y como el agua, y que desconocen las palabras "tuyo" y "mío", semillero de todos los males. Hasta tal punto se contentan con poco, que en la comarca que habitan, antes sobran campos que falta nada a nadie. Viven en plena Edad de Oro, y no rodean sus propiedades con fosos, muros ni setos. Habitan en huertos abiertos, sin leyes, ni libros y sin jueces, y observan lo justo por instinto natural. Consideran malo y criminal al que se complace en ofender a otro» (Anglería, 1964: I, 141-142). Había alcanzado su formulación definitiva la leyenda del «buen salvaje», y la de una tierra de la abundancia capaz de alentar sueños para siempre. De esos estímulos vivió en buena medida el pensamiento utópico europeo, mientras los misioneros —utopía social-cristiana de raíz erasmista, inspirada en las corrientes renovadoras que propugnaban un cristianismo primitivo, sencillo y auténtico— trataron de preservar la inocencia que posibilitaría la aparición de un cristianismo puro, y se pusieron del lado de los indígenas frente a la explotación y la corrupción de los europeos. El ejemplo de Las Casas es el más representativo, con su crítica exaltada de la colonización y su defensa de una evangelización acorde con las exigencias de un pueblo cristiano que debe vivir en igualdad y justicia. Ese pensamiento impulsó la experiencia de evangelización pacífica que el propio Las Casas llevó a cabo en la Vera Paz, en Guatemala, entre 1537 y 1550, y la creación por el obispo Vasco de Quiroga de los dos Hospitales-Pueblos de Santa Fe, en las tierras mexicanas de Michoacán, y se concretó sobre todo en las reducciones jesuíticas del Paraguay.

3. OTRAS MANIFESTACIONES DE LA PROSA COLONIAL

Desde luego, la prosa colonial no se limitó a dejar constancia de los sucesos relativos a la conquista y la colonización, o de las observaciones que suscitaba la realidad americana. Poco a poco otras cuestiones merecieron atención, y para la historia de la literatura no carecen de relieve ciertos textos que se ocupan del propio quehacer de los escritores. Algunos ofrecen sólo un relativo interés: junto a su famoso poema *Grandeza mexicana*, Bernardo de Balbuena (*c.* 1562-1627) publicó en 1604 un *Compendio apologético en alabanza de la poesía* en el que se refirió a ese entretenimiento virtuoso y noble con el apoyo de numerosas autoridades antiguas y modernas, y el guayaquileño Jacinto de Evia (1629-?) incluyó en su *Ramillete de varias flores poéticas* (1675) una *Invectiva apologética* que el bogotano Hernando Domínguez Camargo (1606-1659) había escrito en 1652 y en la cual, con acopio de erudición e ironía implacable, defendía su «Romance a la Pasión de Cristo» contra alguien que lo había censurado y emulado, y a la vez dejaba un ejemplo notable de crítica literaria al gusto de la época. Alguna otra aportación similar podría recordarse —del guatemalteco Francisco Antonio de Fuentes y Guzmán (1642-1699) se han conocido en fecha reciente unos *Preceptos historiales* que recuerdan con detalle los incluidos por Luis Cabrera de Córdoba, cronista de Felipe II, en su *De Historia para entenderla y escribirla* (1611)—, y ninguna alcanza la excepcional significación del *Apologético en favor de D. Luis de Góngora, príncipe de los poetas líricos de España* (1662), tardía contribución del peruano Juan de Espinosa Medrano, «el Lunarejo» (¿1629?-1688), a la polémica sobre el culteranismo. Para rebatir las críticas contra el Góngora del *Polifemo* y de las *Soledades* que el portugués Manuel de Faria y Sousa había incluido bastantes años antes en un comentario a *Os Lusiadas* de Luis de Camoens, el Lunarejo se ocupó en el análisis de las peculiaridades retóricas y de las imágenes gongorinas y concluyó que su uso estaba avalado por la prestigiosa tradición latina. Estimaba que la grandeza de la poesía está estrechamente ligada al aparato verbal y a sus excelencias, y su propio texto, buena manifestación de la artificiosa manera culterana, demostraría que esa conclusión le parecía aplicable a la prosa. Otras pruebas pueden encontrarse en los sermones recargados de conceptos e imágenes que merecieron para ese cura párroco de la catedral del Cuzco, de raza indígena, los títulos de «Doctor Sublime» y «Demóstenes criollo». La admiración determinó que algunos fuesen reunidos y publicados después de su muerte, en 1695, con el título significativo de *La Novena maravilla*. Una *Panegírica declamación por la protección de las ciencias y estudios*, escrita hacia 1664, y un volumen titulado *Philosophia Thomista* (1688), el dedicado a la Lógica, son otras aportaciones suyas al caudal de una prosa barroca abundante en manifestaciones, y que encontró notables cultivadores sobre todo entre quienes —como el Lunarejo o Domínguez Camargo— admiraban a Góngora a la vez que se pronunciaban contra los excesos de los pseudoculteranos.

A la variedad de esa prosa contribuyen otros autores, estimulados por preocupaciones diversas. Tal vez no merece el olvido don Juan de Palafox y Mendoza (1600-1659), que en 1639 fue nombrado obispo de Puebla de los Ángeles y permaneció en México durante más de nueve años, algún tiempo en condición de Virrey. Prolífico autor, sus escritos están determinados casi siempre por instancias pastorales, y eso condiciona la preferencia frecuente por un lenguaje directo y preciso, aunque nunca ajeno del todo a las complejidades de la expresión barroca. Con su experiencia americana tiene que ver, desde luego, el tratado *De la naturaleza y virtudes del indio*, redactado probablemente hacia 1650, ya de regreso en la península. Ante el rey Felipe IV, con el fin de que se diese cumplimiento eficaz a las leyes promulgadas para su protección, encarecía las virtudes de un indígena manso y humilde de corazón, industrioso y diligente, ajeno a la ambición, a la codicia, a la soberbia, a la envidia y a otros defectos de los colonizadores. Continuaba así la tradición que había encontrado en los religiosos a los defensores fundamentales del indio, y que había arraigado de manera especial en la Nueva España.

Más conocidos, gracias a la personalidad de su autora, son algunos escritos en prosa de la novohispana Sor Juana Inés de la Cruz (1651-1695). En el titulado *Carta Atenagórica* —o *Crisis sobre un sermón*, según consta en el segundo volumen de sus obras, publicado en 1692— refutó las aseveraciones que un famoso predicador jesuita, el portugués Antonio Vieyra, había insertado en un «Sermón del Mandato» pronunciado en la fecha ya lejana de 1650 y dedicado a dilucidar las mayores «finezas» de Cristo, sus más destacadas demostraciones de amor al género humano. La *Carta Atenagórica* se imprimió en 1690, acompañada de una *Carta de Sor Filotea de la Cruz* —el obispo de Puebla,

Manuel Fernández de Santa Cruz, se ocultaba bajo ese pseudónimo— en la que se elogiaba el talento de Sor Juana al tiempo
que se le aconsejaba mayor dedicación a temas religiosos, más
acordes con su condición de monja y de mujer. Ella escribió entonces su *Respuesta a Sor Filotea* (1691), un texto fundamental
por la calidad de su prosa barroca y en especial por su interés autobiográfico: allí dejó constancia de su vida y de sus preocupaciones, y, a la vez que justificaba sus inquietudes personales, ofreció
un excepcional alegato en defensa de la capacidad intelectual fe-
menina, y un testimonio destacado de la cultura de su tiempo. Y
porque también es muestra excelente de los gustos de la época,
merece recordarse el *Neptuno alegórico, océano de colores, si-
mulacro político, que erigió la muy esclarecida, sacra y augusta
Iglesia Metropolitana de México, en las lucidas alegóricas
ideas de un Arco Triunfal...*, con que sor Juana colaboró en 1680
a la celebración de la llegada del virrey don Tomás Antonio Manuel Lorenzo de la Cerda, Conde de Paredes y Marqués de la La-
guna. En prosa está redactada la «Razón de la fábrica alegórica y
aplicación de la fábula», donde la autora se extiende en razonamientos sobre la identificación del virrey con Neptuno, sobre las
particularidades del Arco y sobre el significado de los jeroglíficos
alusivos a las prerrogativas de la autoridad homenajeada. La extraordinaria erudición mitológica es tal vez el aspecto más llama-
tivo de este complicado ejercicio de literatura barroca.

Más variadas son las aportaciones de don Carlos de Sigüenza
y Góngora, a cuyas obras históricas ya me he referido. También
con ocasión de la llegada a México del virrey Marqués de la La-
guna, y como descripción del Arco Triunfal erigido en su honor
por el Cabildo de la ciudad, escribió el *Teatro de virtudes políticas que constituyen a un príncipe* (1680), donde los antiguos gobernantes aztecas servían de pretexto para conciliar datos históricos con pretensiones alegóricas, y sobre todo para otro verdadero
alarde de erudición. Pero los otros escritos conservados de mayor
interés tienen que ver con la condición de científico de quien ocupaba la cátedra de Astronomía y Matemáticas en la Universidad
de México: hasta nosotros han llegado un *Manifiesto filosófico
contra los cometas despojados del imperio que tenían sobre los
tímidos* (1681) y —especialmente— un tratado que tituló *Libra
astronómica y filosófica* (1690). Ambos versan sobre la naturaleza de los cometas: en el primero Sigüenza y Góngora rechaza
las predicciones catastrofistas con que los astrólogos animaron la

aparición del Gran Cometa (el cometa Halley) sobre los cielos de México a finales de 1680, y en el segundo, fruto de una dura polémica en la que su rival más destacado fue el jesuita Eusebio Francisco Kino, expuso y razonó sus opiniones sobre esos enigmáticos cuerpos celestes. Así tuvo ocasión de mostrar el desarrollo científico que habían alcanzado las colonias españolas, y de manifestarse como era: un hombre de transición hacia una nueva época, dispuesto a abandonar el criterio de las autoridades en materia científica cuando sus dictámenes resultasen contrarios a la verdad y a la razón. Desde luego, ese espíritu experimental y racionalista —se inclinaba por las Matemáticas como medio para adentrarse en el estudio de los fenómenos naturales— se mantendría siempre dentro de la ortodoxia más absoluta. Habrá que esperar a la segunda mitad de la centuria siguiente para encontrar novedades en ese sentido.

En efecto, es sólo después de 1750 cuando se produce la recepción paulatina de ideas ilustradas. Durante la primera mitad del siglo XVIII la prosa encuentra sus manifestaciones más destacadas en obras como la *Historia de España vindicada* (1730), del polifacético sabio peruano Pedro de Peralta y Barnuevo (1664-1743), o los escritos en que una monja clarisa de Tunja, la Madre Castillo (Francisca Josefa del Castillo y Guevara, 1671-1742), describió sus experiencias religiosas, y que la posteridad había de reunir en los volúmenes titulados *Vida* y *Afectos espirituales* (o *Sentimientos*). El uno y la otra pertenecen aún al mundo del barroco, lo que es evidente si se comparan con otros dos escritores que pueden resultar representativos de la segunda mitad del siglo: el mestizo quiteño Francisco Eugenio de Santa Cruz y Espejo (1747-1795) y el asturiano Alonso Carrió de la Vandera (c. 1715-1783), que residió en Lima durante buena parte de su vida y alguna vez obtuvo el nombramiento de Segundo Comisionado para el arreglo de Correos y ajuste de Postas entre Montevideo-Buenos Aires y la capital del virreinato del Perú.

Con esa misión tiene que ver la obra tal vez más atractiva del XVIII hispanoamericano: un libro de viajes que Carrió de la Vandera tituló *El Lazarillo de ciegos caminantes*, aparentemente publicado en Gijón en 1773 (lo cierto es que se publicó en Lima, en 1775 ó 1776) y atribuido a «Concolorcorvo», apodo de Calixto Bustamante Carlos Inca, el amanuense que había acompañado a Carrió entre Córdoba del Tucumán y Potosí, parte del recorrido entre Montevideo y Lima que constituye la razón del libro. Éste parece concebido como una guía para viajeros, con abundantes noticias sobre las tierras visitadas, siguiendo una ruta que pasa por Buenos Aires, Córdoba, Salta y Cuzco, o sobre tierras no visitadas en esa ocasión, pero que habría que atravesar en el caso de seguir ruta desde Jujuy hasta Santiago de Chile. Lo notable es que las observaciones adquieren un acusado sentido crítico, que afecta lo mismo a la administración española que a los administrados de América, y que cierta pretensión literaria se descubre, desde el título, en la integración de motivos y actitudes que recuerdan la picaresca o pertenecen al ámbito de la ficción. Desde luego, ni eso ni sus sabrosas anécdotas y descripciones dan a la obra una condición novelesca. Es el relato de un viaje y una guía para los viajeros, abundante en noticias útiles y curiosas, y también un análisis de la complicada sociedad americana, con sus peculiaridades políticas, económicas y étnicas. La actitud crítica afecta negativamente a los indígenas, y ecos de la polémica contemporánea sobre el Nuevo Mundo se advierten en la defensa razonada de la presencia española y del talento de los criollos. En un caso y en otro, es evidente ya el afán ilustrado —o neoclásico— de criticar para corregir, lo que implica la fe en las posibilidades de mejora.

Santa Cruz y Espejo es un buen representante de los intelectuales hispanoamericanos de finales del siglo XVIII y de las nuevas inquietudes reformadoras que manifestaban. Su obra más destacada es tal vez *El Nuevo Luciano de Quito* o *Despertador de los ingenios quiteños en nueve conversaciones eruditas para el estímulo de la literatura* (1779), diálogos sobre asuntos diversos —retórica, filosofía, teología, moral— cuya intención evidente era contribuir a la renovación cultural, satirizando la oratoria rebuscada y la inútil erudición de los clérigos, y en particular de los jesuitas. A la polémica que de inmediato se suscitó, Santa Cruz y Espejo había de contribuir con *Marco Porcio Catón* o *Memorias para la impugnación del Nuevo Luciano de Quito* (1780), donde recogía los ataques que había recibido y las respuestas que le merecían, y *La ciencia blancardina* (1781), que puede considerarse como una continuación y una defensa de las ideas expuestas en *El Nuevo Luciano de Quito*. Otros escritos posteriores, de temas variados —de tema médico fueron sus *Reflexiones (...) acerca de un método seguro para preservar a los pueblos de las viruelas* (1785), y una cuestión jurídica fue el pretexto que dio lugar a la *Representación de los curas del distrito de Riobamba* (1786), y luego a las ocho mordaces *Cartas rio-bambenses* (1787)—, muestran siempre una actitud inconformista, actitud que lo llevó a la cárcel en más de una ocasión. También sufrió el destierro, y eso en 1788 le permitió conocer en Santa Fe de Bogotá a Antonio Nariño (1765-1823), quien en 1794 habría de traducir al castellano la *Declaración de los derechos del hombre*, y a otros representantes del pensamiento hispanoamericano más influido por el iluminismo dieciochesco. Con los ideales de siempre, regresó a su ciudad natal a fines de 1789, y allí había de publicar, entre el 5 de enero y el 29 de abril de 1792, los siete números que alcanzaron a salir de *Primicias de la Cultura de Quito*, buena muestra del periodismo ilustrado que nacía al calor de preocupaciones educativas.

Entre los intelectuales hispanoamericanos habían germinado nuevas ideas, estimuladas en alguna ocasión por lecturas de los pensadores franceses del siglo, pero casi siempre por el magisterio más cercano de españoles como Benito Jerónimo Feijoo, o el Conde de Campomanes, o Gaspar Melchor de Jovellanos. Los aires que llegaban de la propia metrópoli alentaban las preocupaciones renovadoras, incluso las de los más notables representantes de un pensamiento liberal que alarmaba a las autoridades. La verdad es que casi nunca se pensó en la creación de una sociedad nueva: los afanes se centraron en mejorar lo existente, lo que no era pequeña ambición, y en la defensa de los valores propios frente al desdén de sus observadores europeos. La polémica sobre el Nuevo Mundo impulsaría decididamente esas actitudes, que no habían dejado de manifestarse con anterioridad: al respecto merecen mención, aunque escritos en latín —y tal vez por eso, porque el idioma utilizado pretende demostrar también una condición culta—, los prólogos o *anteloquia* que Juan José de Eguiara y Eguren (1695-1763) redactó para su *Biblioteca Mexicana*, el primero de cuyos cuatro tomos se publicó en México en 1755. Eguiara reseñaba las aportaciones novohispanas a la educación, a las ciencias y a las letras, y los datos bibliográficos que había reunido, aunque alcanzaban sólo hasta la letra J y apenas se referían a una parte de la inmensa geografía americana, eran la mejor demostración de la capacidad de los habitantes del Nuevo Mundo, el mejor mentís a la barbarie que los europeos les suponían, a la ignorancia que recientemente les había asignado un deán alicantino llamado Manuel Martí y Zaragoza. Esa incomprensión había suscitado mucho antes las quejas del Lunarejo y de Carlos de Sigüenza y Góngora, en quienes no es difícil percibir ya una clara actitud americanista. Contra esa incomprensión se manifestaba ahora el notable desarrollo que alcanzaban a fines del XVIII las ciencias físicas y naturales, las matemáticas o la astronomía. El siglo había sido pródigo en expediciones de carácter científico, de las que derivaba un conocimiento más riguroso de la realidad americana y de las deficiencias de la administración colonial, y eso también favoreció el desarrollo de una mentalidad crítica inusitada, de pensamientos nuevos y nuevas actitudes que dejaron obsoletos los conocimientos tradicionales. Desde luego, no se produjo una brusca ruptura con el pasado, pero el espíritu ecléctico dominante se descubre cada vez más atento a la verdad observable y menos a los criterios de autoridad. Eso habría de tener consecuencias imprevisibles.

4. LA ÉPOCA DE LA INDEPENDENCIA

Si el siglo XVIII había acentuado el compromiso general con el entorno, de la mano de pretensiones educativas y reformistas, las luchas por la independencia habían de hacer que las nuevas preocupaciones ideológicas y políticas se convirtiesen en el tema fundamental de la literatura hispanoamericana a partir de 1810. Las intenciones independentistas se habían manifestado alguna vez antes de esa fecha —en la *Carta dirigida a los españoles americanos por uno de sus compatriotas* (1792), del jesuita peruano expulso Juan Pablo Vizcardo (1747-1798), en las actividades del venezolano Francisco de Miranda (1750-1816)—, y se sabía del nacimiento de los Estados Unidos de América del Norte en 1776, pero fue el vacío de poder que supuso la invasión napoleónica de la península, a partir de 1808, lo que precipitó los acontecimientos. De inmediato se advierten numerosas las manifestaciones del malestar de los criollos —entre ellas se cuentan el *Memorial de agravios* (1809), del neogranadino Camilo Torres (1766-1816), y la *Representación a nombre de los hacendados* (1809), donde el rioplatense Mariano Moreno (1779-1811) hizo una fervorosa defensa del libre comercio—, a las que luego acompañarán los sucesos políticos y militares que habrían de conducir a la emancipación. De pronto el ideario de la Ilustración se mostraba en todo su alcance: desde distintos lugares de Hispanoamérica se levantaron voces que hablaban de tolerancia religiosa, de derechos individuales, de libertad intelectual, de sociedades igualitarias y republicanas. En cuanto se liquidaba la presencia de la autoridad española, por todas partes se promulgaban constituciones que trataban de ajustarse a grandes principios que se suponían de validez universal e incuestionable. Las alternativas de una larga contienda mostrarían luego que esos ideales eran difícilmente alcanzables, y darían lugar a una compleja discusión, a menudo sangrienta, sobre la organización de las nuevas naciones. Las preferencias se inclinaron en algunos casos por el modelo monárquico-parlamentario inglés —el defendido por Francisco de Miranda, y luego por quienes en esa solución encontraban una garantía frente al caos—, en otros por la opción republicana que se había concretado en la *Declaración de los derechos del hombre y el ciudadano* (1791) y en las sucesivas constituciones francesas derivadas de la Revolución, en otros muchos por el sistema federal que los norteamericanos se habían otorgado en la *Constitución de los Estados Unidos* de 1787. Las discrepancias se tradujeron pronto en frecuentes luchas civiles, que condicionaron la vida de los nuevos países. Las fundamentales enfrentaron a liberales y conservadores, o a los partidarios de administraciones centralistas con los defensores de una organización federal. También fueron diversas las actitudes frente a la metrópoli —las declaraciones de independencia son a veces ambiguas, y en ocasiones notoriamente tardías—, pero la intransigencia de Fernando VII se encargaría de terminar con las dudas, abriendo un abismo insalvable entre América y la península: las luces quedaron por completo del lado de quienes luchaban por la emancipación, frente al oscurantismo de una España despótica e ignorante. Esas sombras se proyectaron de inmediato sobre los siglos de la colonia, que empezaron a verse como un tiempo oscuro de tiranía y de barbarie.

El pensamiento del período se centra en esos temas relativos a la libertad y el progreso, inseparables de la creación de las nuevas repúblicas. La confianza iluminista en el poder de la razón impregna casi siempre los escritos que examinan la realidad hispanoamericana y buscan los caminos para reformarla, pero eso no impide la diversidad de los enfoques, ni que se manifieste cierta evolución a lo largo de esa época de actividades bélicas que se prolonga desde 1810 hasta 1825. Con los primeros tiempos se asocian actitudes revolucionarias radicales —un buen ejemplo es el de Mariano Moreno, traductor del *Contrato social* de Rousseau y organizador en Buenos Aires de una fogosa Sociedad Patriótica (1811) cuyas actividades fueron pronto reprimidas—, que dejan paso luego a otras más acordes con la realidad y las limitaciones que imponía. Esa evolución se advierte incluso en un hombre inicialmente próximo a las posiciones de Moreno como fue el rioplatense Bernardo de Monteagudo (1787-1825), uno de los más destacados doctrinarios y propagandistas de la revolución. No se identificó con las posiciones monárquicas del general José de San Martín (1778-1850) y de otros próceres de la independencia argentina, ni renunció al difícil ideal de la unidad —uno de sus escritos más notables es el *Ensayo sobre la necesidad de una federación general entre los estados hispanoamericanos y plan de su organización* (1824)—, pero fue consciente de las dificultades que representaba la organización de cada país. Por eso se manifestó partidario de prescindir de las instituciones que se revelasen inútiles, y de acomodar las reglas del juego político a las exigencias de la realidad. Por eso llegó a pensar en el centralismo y en la dictadura como las soluciones adecuadas a esas circunstancias y al servicio de la libertad y del progreso. Esa actitud fue ampliamente compartida, en la medida en que el escepticismo iba ganando incluso a los más declarados constitucionalistas. Se imponía una mentalidad política pragmática que justificó el autoritarismo con tal de que fuese capaz de imponer el orden.

Entre los escritores de la época se ha reservado siempre un lugar especial para el venezolano Simón Bolívar (1783-1830), autor de más de tres mil cartas y doscientos discursos, arengas o proclamas, un extraordinario testimonio de su decisiva participación en los hechos políticos y militares que entonces determinaron el destino de Hispanoamérica. De esa obra abundante, han merecido particular atención un breve ejercicio literario titulado «Mi delirio sobre el Chimborazo» —una apasionada y poética reflexión sobre su misión libertadora— y algunos textos fundamentales para el conocimiento de su pensamiento político: el «Manifiesto de Cartagena» (o «Memoria dirigida a los ciudadanos de Nueva Granada por un caraqueño», 1812), la «Carta a un caballero que tomaba gran interés en la causa republicana en América del Sur» o «Carta de Jamaica» («Contestación de un americano meridional a un caballero de esta isla», fechada en Kingston, el 6 de septiembre de 1815) y el «Discurso en el Congreso de Angostura» (1819) figuran entre los más recordados. En esos y otros escritos se encuentra una interpretación de la realidad hispanoamericana de excepcional lucidez, y al fin de desesperanza: Bolívar había profesado la fe de los ilustrados en el poder de la razón para organizar adecuadamente la realidad social y política de los territorios liberados, pero, cuando la realidad desafió esas previsiones —y lo hizo muy pronto, poniendo en peligro incluso el éxito de la lucha por la independencia—, desconfió de las máximas «exageradas» de los derechos del hombre y de los códigos imaginados por ciertos visionarios para repúblicas «aéreas», ideales de libertad y de democracia que habían llevado a los territorios liberados a la fragmentación y a la anarquía. «...Las instituciones perfectamente representativas no son adecuadas a nuestro carácter, costumbres y luces actuales», anotó en la «Carta de Jamaica» (1981: 162-163), junto a sus reflexiones sobre lo alejadas que estaban las utopías del pensamiento revolucionario europeo de la realidad que él trataba de cambiar. «Tengamos presente —insistiría ante el Congreso de Angostura— que nuestro pueblo no es el europeo, ni el americano del norte, que más bien es un compuesto de África y de América, que una emanación de la Europa; pues que hasta la España misma deja de ser Europa por su sangre africana, por sus instituciones y por su carácter» (Bolívar, 1981: 226). Contra esa circunstancia americana —cultural, étnica, social— habían tratado de prevenirse Francisco de Miranda y los que habían temido que la revolución terminase en el caos, como antes había ocurrido en Francia. También Bolívar lo tuvo presente, y, como muchos otros próceres de la independencia, sólo encontró una posible solución en un gobierno autoritario cuyo despotismo ilustrado favoreciese la estabilidad política de los nuevos países. Por las mismas razones se manifestó partidario de una fragmentación racional de los territorios que habían pertenecido a la corona española —sacrificando la idea grandiosa de una sola nación, que juzgó imposible por cuanto «climas remotos, situaciones diversas, intereses opuestos, caracteres semejantes, dividen a la América» (1981: 169)—, a pesar del origen común y de los vínculos del idioma, de la religión y de las costumbres. También ese realismo estaba condenado al fracaso, y Bolívar viviría lo suficiente para saber de la inutilidad de sus esfuerzos: «No espero salud para la patria», aseguró en una de sus últimas cartas (1981: 374), y esa convicción derivaba del «piélago de calamidades» que se cernía sobre la Gran Colombia que él había tratado de crear, del espantoso cuadro de una América vacilante entre las tiranías y el caos.

En distinta medida, el proceso ideológico señalado se manifiesta antes o después en otros destacados representantes del ensayo de este período. Es el caso del chileno fray Camilo Henríquez (1769-1825), fundador de *La Aurora de Chile* (1812) y *El Monitor Araucano* (1813), periódicos desde los que difundió el pensamiento liberal y se manifestó a favor de la independencia de su país. Es también el de su compatriota Juan Egaña (1769-1836), que por entonces propugnaba desde Santiago la constitución de una grande y única república hispanoamericana libre. Cuando en 1814 las tropas realistas pusieron fin a la Patria Vieja y restauraron el dominio español, Henríquez hubo de huir a Buenos Aires, y allí dio a conocer un *Ensayo* (1815) en el que se alejaba del radicalismo democrático de antaño —sus escritos, entre los que destaca «El catecismo de los patriotas» (1812), prueban que había sido un fervoroso defensor de la libertad frente al despotismo, la superstición y el fanatismo, seguro de que las luces de la razón disiparían la ignorancia y la barbarie— para adoptar una actitud pragmática, favorable a la constitución de un poder sólido y resolutivo. Menos afortunado, por entonces Egaña fue apresado y confinado en la isla de Juan Fernández, y de esa experiencia nació uno de los testimonios más interesantes que dejó la época: la relación autobiográfica que tituló *El chileno consolado en los presidios o filosofía de la religión. Memorias de mis trabajos y reflexiones escritas en el acto de padecer y pensar*, publicada en 1826. Allí quedó constancia de aquellos días difíciles y de la vileza de los españoles, junto a la vindicación de la patria criolla surgida del trabajo y del sufrimiento, suavizados esta vez —experiencia de un filósofo desengañado— por el reencuentro con Dios y con la felicidad que deriva de la virtud. Sobre la condición también «aristocrática» de su iluminismo pueden ilustrar sus *Ocios filosóficos y poéticos* (1829), donde los sentimientos libertarios e igualitarios aparecen claramente corregidos en aras de la estabilidad de la república.

Para la literatura tienen también especial significación los relatos en que el mexicano José Servando de Santa Teresa de Mier Noriega y Guerra (1763-1824) —o fray Servando Teresa de Mier— dejó constancia de su vida agitada. Las aventuras de ese famoso orador dominico comenzaron un 12 de diciembre de 1794, cuando pronunció un sermón sobre la Virgen de Guadalupe en el que identificaba a Quetzalcóatl, el dios civilizador de los toltecas, con el apóstol Santo Tomás —esa tesis ya había sido defendida por Sigüenza y Góngora en el desaparecido tratado que tituló *Fénix del Occidente, Santo Tomás Apóstol, hallado con el nombre de Quetzalcóatl entre las cenizas de antiguas tradiciones conservadas en piedras, en teoamoxtles tultecos, y en cantares teochichimecos y mexicanos*—, con lo que la capa del indio Juan Diego y la imagen de la Virgen se remitían a los tiempos remotos de aquella primera evangelización. El escándalo fue mayúsculo, y se saldó con el destierro a España del responsable. En la *Apología del Doctor Mier* se recogen esos sucesos, que desencadenaron una rápida sucesión de encarcelamientos, fugas y otras peripecias, sólo en parte registradas en la *Relación de lo que sucedió en Europa al Doctor Don Servando Teresa de Mier después que fue trasladado allá por resultas de lo actuado contra él en México, desde julio de 1795 hasta octubre de 1805.* Durante esos diez años se vio recluido en distintos lugares de la península, hasta que pudo escapar a Francia, y luego a Roma, donde obtuvo la secularización, para después regresar a España, y ser aprehendido, y huir a Portugal. Luego se sucederían su participación del lado español en la guerra contra los ejércitos de Napoleón, y viajes a Londres y a París, y el regreso a México para luchar por la independencia y ser de nuevo capturado. En La Habana, de camino hacia España, una vez más consiguió fugarse, y a través de los Estados Unidos regresó al México independiente, donde su ideario liberal aún le merecería la cárcel durante el efímero imperio que Agustín de Iturbide gobernó desde julio de 1822 a marzo de 1823. Un *Manifiesto apologético*, que amplía la *Apología* hasta 1820, y una *Exposición de la persecución que ha padecido desde el 14 de junio de 1817 hasta el presente de 1822 el Doctor Servando Teresa de Mier...*, durante mucho tiempo inéditos, permiten conocer en buena medida esos avatares. En su conjunto, esas *Memorias* constituyen una sugestiva mezcla de relato picaresco y alegato político, de tradición y modernidad, acorde con la compleja personalidad de alguien que adoptó el pensamiento ilustrado sin renunciar nunca del todo a la formación cultural de su juventud. La narración se enriquece con sabrosas descripciones de las tierras visitadas, que el nacionalismo del autor observa con frecuente desdén, sobre todo hacia una España sumida en la pobreza y en la ignorancia. Ante esos atractivos palidecen los de otros escritos suyos, entre los que destaca la *Historia de la revolución de la Nueva España* (1813), la primera que registró los acontecimientos que habían de conducir a la independencia. En ella es particularmente evidente que fray Servando participaba de la reacción antilibertaria común, temeroso de que el igualitarismo revolucionario —característico de los primeros levantamientos mexicanos— afectase negativamente al sentimiento religioso y a otras manifestaciones de la cultura propia: entre ellas, la posición de la aristocracia criolla.

Algunos de los «ensayistas» mencionados cultivaron géneros más específicamente literarios: aunque con suerte escasa, poetas y dramaturgos fueron Juan Egaña y fray Camilo Henríquez. Otro tanto ocurrió con escritores más destacados, como el mexicano José Joaquín Fernández de Lizardi (1776-1827) o el venezolano Andrés Bello (1781-1865). Fernández de Lizardi es hoy el autor de *El Periquillo Sarniento* y de otras novelas, pero en sus tiempos fue ante todo el «Pensador Mexicano», autor de numerosos panfletos y fundador de periódicos más o menos efímeros —*El Pensador Mexicano* (1812-1814), *Alacena de frioleras* (1815), *El Conductor Eléctrico* (1820), *Conversaciones del payo y el sacristán* (1824-1825)— que a veces él mismo redactaba en su totalidad. Esa tarea le permitió convertirse en portavoz del pensamiento nuevo, severo con las desigualdades y las injusticias, y luego en propagandista de los ideales de independencia, y por último imparcialmente crítico con el gobierno de Iturbide y con la república que sucedió al imperio en 1823, insensibles a los vicios que se mantenían inabordados desde los tiempos de la colonia.

Aún más ricas y variadas fueron las aportaciones de Bello, el más representativo de los intelectuales hispanoamericanos de ese momento. En su juventud redactó, para el *Calendario Manual y Guía Universal de Forasteros en Venezuela para el año de 1810*, un *Resumen de la historia de Venezuela* que abarca desde el descubrimiento hasta 1808, y en el que mostraba un notable interés por cuestiones agrícolas y económicas. Luego, mientras escribía en Londres lo fundamental de su poesía, publicó la *Biblioteca Americana* (1823) y *El Repertorio Americano* (1826-1827), efímeras revistas desde las que trató de elaborar un programa cultural americanista, atento a la educación, el progreso y la libertad de los nuevos países. Pero es en la etapa chilena, la que se prolonga desde 1829 hasta su muerte, cuando Bello realiza las aportaciones más relevantes a distintos campos de conocimiento: en esos años dio a conocer sus mejores trabajos filológicos —sus *Principios de Ortología y Métrica de la Lengua Castellana* (1835), el *Análisis ideológico de los tiempos de la conjugación castellana* (1841), y especialmente la *Gramática de la lengua castellana destinada al uso de los americanos* (1847)—, y otros sobre temas jurídicos —los *Principios del Derecho de Gentes* (1832), y sobre todo el *Código civil de la República de Chile* (1855), el primero que se elaboró para un país hispanoamericano—, a la vez que escribía una *Filosofía del entendimiento* que no se publicó hasta 1881, y se preocupaba de la educación y de otros temas. Para el enriquecimiento y la evolución de la literatura chilena —y de la hispanoamericana— no sólo fue importante su obra poética: también fue decisiva en estos años su labor de traductor y de crítico, tarea esta última que desempeñó desde las páginas de *El Araucano* y de otras publicaciones periódicas de la época.

Lejano en Londres y extranjero en Chile, Bello vio tal vez limitadas sus posibilidades de opinar sobre los sucesos políticos que agitaban la vida de Hispanoamérica. Desde luego, no le faltaron ocasiones para manifestar también su desconfianza en la utilidad de instituciones y principios ajenos, por admirables que fuesen, para el desarrollo cívico de los nuevos países. Como la mayoría de los intelectuales de su generación, defendió la libertad dentro de un orden —siempre reprobó las actitudes revolucionarias, y las irreverentes en cuestiones religiosas—, y propugnó también una literatura atenta a la expresión de lo americano o lo nacional, comprometida con el progreso. Al menos en asuntos culturales, la de Bello fue una posición mesurada, respetuosa con una tradición que él relacionaba sobre todo con el idioma: patrimonio común de las nuevas repúblicas, ese vínculo debía enriquecerse, pero nunca destruirse con innovaciones innecesarias. Tal sentido del equilibrio es una constante en su actuación: ni en los momentos de mayor animosidad antiespañola —que, desde luego, manifestó— dejó de recomendar, junto a la de los clásicos latinos, la lectura de los clásicos castellanos, con evidente preferencia por el siglo XVI. Tan reacio a las reglas como a los excesos, también fue ajeno a las posiciones radicales que por algún tiempo enfrentaron luego a neoclásicos y románticos, y eso le permitió dar a conocer en Chile a autores fundamentales de la última literatura europea.

5. EN BUSCA DE LA EMANCIPACIÓN MENTAL

Al menos en su mayor parte, los territorios del Río de la Plata fueron tempranamente liberados del dominio español —las fuerzas realistas no volverían a Buenos Aires después de mayo de 1810—, y eso les permitió convertirse en el mejor ejemplo de las dificultades que planteaba la organización de los nuevos países. Allí se manifestaron de inmediato discrepancias profundas, que enfrentaban a los ilustrados de la ciudad-puerto, partidarios de la centralización del poder, con unas provincias nada dispuestas a perder su autonomía política y económica. Esa disputa entre «unitarios» y «federales» pronto desembocó en un conflicto numeroso en episodios sangrientos, y por largo tiempo se sucedieron los fracasos a la hora de imponer el orden. Alguna vez la opción centralista pareció próxima al triunfo: tras haberse ocupado durante algunos años de la Gobernación y los Asuntos Exteriores de Buenos Aires —lo que aprovechó para introducir reformas de signo liberal, promocionando la educación, la agricultura y la industria—, en 1826 Bernardino Rivadavia se convirtió en presidente de un estado que se denominaba Provincias Unidas del Río de la Plata, para el que se elaboró una Constitución unitaria. Ese empeño sólo sirvió para activar la discordia, y el desorden desembocó finalmente en la dictadura de Juan Manuel de Rosas, que ocupó por primera vez la gobernación de Buenos Aires entre 1829 y 1833, con el apoyo de los federales, y luego ininterrumpidamente desde 1835 hasta 1852. Los ilustrados argentinos, identificados con el bando unitario, buscaron de inmediato su salvación en el exilio. Luego los seguirían muchos de sus rivales políticos, en cuanto Rosas optó —y lo hizo cuando llegó al poder por segunda vez— por imponer un orden personal y a menudo arbitrario.

Esas circunstancias condicionaron la actividad de los intelectuales rioplanteses. Las ilusiones que habían alentado la Revolución del 25 de Mayo quedaban ya muy lejos cuando en 1830 Esteban Echeverría (1805-1851) regresó a Buenos Aires, después de cinco años en Europa. Volvía convertido en «literato», y con pretensiones renovadoras que significaron de hecho la irrupción del romanticismo. No había de ser el único agitador del ambiente intelectual porteño —un grupo de estudiantes, entre los que se contaban Vicente Fidel López (1815-1903), Juan Bautista Alberdi (1810-1884) y Juan María Gutiérrez (1809-1878), creó en

1833 una Asociación de Estudios Históricos y Sociales que mostraba inquietudes similares—, pero sí quien le dio cohesión y posibilitó un acontecimiento de máximo interés en la evolución de las ideas y de las letras del Río de la Plata: otro grupo de jóvenes, que venía reuniéndose en la Librería de Marcos Sastre (1809-1887) —los mismos, en buena parte, que habían figurado en la efímera Asociación mencionada—, inauguraba en junio de 1837 el Salón Literario. Sastre, Alberdi y Gutiérrez intervinieron en la primera sesión, señalando la necesidad de superar la insuficiencia cultural del medio, tarea a la que se consagraban. En sucesivas reuniones, en las que Echeverría puso de manifiesto su condición de mentor intelectual de esa generación, se examinaron los factores culturales y sociales que habían impedido el progreso nacional: la emancipación política no había sido acompañada de la emancipación mental, y la colonia pervivía en tradiciones, costumbres, instituciones, cultura. La crítica a la herencia española se centraba en los aspectos oscurantistas y reaccionarios de un país que poco podía ofrecer en el contexto de la cultura europea, sin afectar a una Joven España que veían representada sobre todo por Mariano José de Larra y con la que se identificaban en gran medida. Desde luego, tampoco faltaron las opiniones radicales que preconizaban una ruptura total, y unánimemente se pronunciaron por una cultura independiente, para la que juzgaban indispensable una literatura derivada del medio, comprometida con la realidad americana.

Durante algún tiempo las actividades del Salón Literario no inquietaron a Rosas. Al cabo, sus miembros señalaban la incapacidad que gobiernos anteriores —sobre todo el de Rivadavia— habían demostrado a la hora de adaptar sus ideas y propósitos a la realidad nacional, a la vez que buscaban una solución conciliadora para el enfrentamiento entre federales y unitarios, que, como disputa sobre lo que había de ser la organización del Estado, había dejado de tener sentido. No faltaron los elogios a la Federación y al dictador, ni en las reuniones ni en las páginas de *La Moda*, «gacetín» semanal que fue el órgano de expresión del grupo. Las dificultades comenzaron en 1838, cuando navíos franceses bloquearon el puerto de Buenos Aires y todo el litoral argentino: quienes manifestaban gustos afrancesados se convertían en sospechosos de traición a la patria, y, ante las suspicacias del régimen, el Salón Literario dejó de existir. Muchos de sus miembros se dispersaron, pero, con los interesados en seguir adelante,

Echeverría fundó en junio de 1838 la Joven Generación Argentina, después conocida también como Asociación de Mayo. Inspirada en organizaciones carbonarias europeas, tenía carácter de logia secreta y estaba destinada a la lucha política contra la tiranía. Ante sus compañeros, Echeverría leyó las «quince palabras simbólicas» del nuevo credo, que servirían de base para la elaboración del *Código* o *Declaración de principios que constituyen la creencia social de la República Argentina*. Ese *Código* se publicó en enero de 1839 en el periódico *El Iniciador* de Montevideo, y, junto a la «Ojeada retrospectiva sobre el movimiento intelectual en el Plata desde el año 37», se imprimió en 1846 con el título de *Dogma socialista de la Asociación de Mayo*.

La fidelidad al espíritu que inspiró la revolución de la independencia, la lucha por el progreso y la emancipación del espíritu americano eran preocupaciones determinantes en el pensamiento de Echeverría. Por su relevancia como manifestación de las inquietudes alentadas por aquella generación, y por constituir la base del liberalismo argentino, el *Dogma socialista* merece alguna reflexión. No importa lo que debe a pensadores europeos entonces en boga —su deuda con Saint Simon, con Leroux, con Considérant, con Lerminier o con Mazzini ha sido señalada con frecuencia, para bien o para mal—, y ha de resaltarse que por vez primera se pretende desarrollar una aproximación científica, meditada, a las peculiaridades del medio argentino, con la voluntad de llegar a soluciones adecuadas para unos problemas que la Revolución de Mayo no había podido resolver. No se trataba de prescindir de esos ideales, sino de adecuarlos a la realidad nacional. El pensamiento de la Joven Generación Argentina debía desterrar del panorama intelectual a la Ideología, heredera de los pensadores del siglo XVIII y difusora del culto a la ciencia y el progreso desde posiciones racionalistas. Ésa había sido la doctrina oficial de Rivadavia, y Echeverría y sus compañeros le reprocharían el haber reducido el hombre a un concepto abstracto, desconectado de la realidad, al tiempo que trataban de conciliar los vagos ideales de la Revolución de Mayo —los ideales que hablaban de la libertad, de la igualdad y de la fraternidad entre los hombres— con preocupaciones nacionalistas y las exigencias concretas, históricas y sociales, de un hombre determinado. Al conciliar la Ilustración con el historicismo romántico, se moderaban las aspiraciones del pasado. El régimen rosista había demostrado suficientemente que los pueblos podían hacer uso de sus derechos para entronizar tiranos, y no para derribar cetros y romper cadenas, como aseguraba la retórica jacobina. Las masas no estaban preparadas para ejercer su soberanía y, mientras no hubiesen sido educadas convenientemente, no quedaba otra solución que optar por el voto cualificado, reduciendo la capacidad de participación popular al ámbito del municipio. Una jerarquización se imponía, derivada de la importancia social o de la calidad de los sentimientos, a la vez que el análisis del pasado histórico y de la sociedad contemporánea aconsejaban restricciones para la libertad absoluta, que podría atentar contra las posibilidades de progreso.

Esas posiciones fueron las de los escritores argentinos de su generación. Cuando se acentuó la hostilidad del régimen de Rosas, ese pensamiento social adquirió matices decididamente políticos, y se insistió en que el orden vigente era una perpetuación del orden colonial, sustituido el tirano español por tiranos autóctonos. La literatura de la época lo demuestra reiteradamente, tal vez porque los intelectuales —no todos: del lado del dictador estuvo Pedro de Angelis (1784-1859), quien llevó a cabo notables trabajos de recopilación de documentos históricos, estudió las lenguas indígenas, escribió ensayos literarios y políticos, y desarrolló una incansable actividad periodística— quedaron al margen del poder e hicieron del gobernador de Buenos Aires la personificación del terror, de la tiranía, de la barbarie. Nadie contribuyó a elaborar esa imagen más que Domingo Faustino Sarmiento (1811-1888), quien en San Juan —el espíritu de la renovación había llegado a lugares diversos de la Confederación Argentina— había publicado un periódico antirrosista, *El Zonda*, antes de refugiarse en Chile en 1840, ya por segunda vez. Allí había de fundar y de redactar *El Progreso*, desde cuyas páginas realizaría la formulación definitiva de una interpretación de la historia y de la realidad de su país que iba a determinar en buena medida la evolución del pensamiento hispanoamericano posterior: en 1845 dirigió contra Rosas su *Civilización y barbarie. Vida de Juan Facundo Quiroga. Aspecto físico, costumbres y hábitos de la República Argentina*, sin duda una de las manifestaciones más destacadas de la literatura del momento. A pesar de la improvisación que se le ha achacado con frecuencia y de su precipitada redacción, *Facundo* —ese es el título abreviado y suficiente con que suele conocerse la obra— ofrece una estructura meditada y coherente en sus planteamientos: en la primera de sus tres partes se hace el análisis de la geografía, del hombre y de las tensiones sociales, sobre todo en lo que respecta al medio rural y sus habitantes, para terminar con un examen de la Revolución de 1810 y de sus consecuencias, que explicarían la anarquía posterior; en la segunda, la más amplia, se traza la biografía de Quiroga, encarnación de la barbarie y del instinto de la campaña que aniquila el orden civil de las ciudades, hasta ser a su vez destruido por otro caudillo bárbaro, Rosas; y la tercera se reserva para un ataque directo al dictador de Buenos Aires, y para las propuestas del propio autor relativas a la reconstrucción del país. Influido por la historiografía francesa reciente, Sarmiento se había propuesto el análisis de los interminables conflictos políticos en función de la tradición nacional y de los factores geográficos (que juzgó determinantes), y en los términos de un enfrentamiento entre la burguesía progresista y el feudalismo rural, entre la civilización de las ciudades y la barbarie de la campaña. Ésa es la idea fundamental sobre la que descansa el ensayo, y a medida que se expone genera otras, normalmente en forma de oposiciones: las grandes extensiones sin núcleos urbanos impiden el desarrollo de hábitos sociales, y engendran al gaucho, mientras en las ciudades viven los hombres cultos; pero hay ciudades más civilizadas y menos civilizadas, y aquí la herencia española constituye un lastre para el progreso; herencia española, gauchos, indios, se constituyen en representantes de la barbarie, mientras que, en último término, la civilización radica casi exclusivamente en Buenos Aires, y en esa lógica el conflicto planteado es el de América frente a Europa. Las partes en pugna quedan también simbolizadas por hombres representativos: Quiroga (había sido uno de los más notables caudillos del interior) o Rosas frente a Rivadavia, la dictadura frente a la democracia liberal. La visión dinámica de la historia permitiría distintos grados en la civilización y en la barbarie, e incluso cambios de signo: la cultura española habría desempeñado una misión civilizadora frente a los indígenas, Facundo representaría sólo una fase en el ascenso de la barbarie, que culminaba con Rosas y dominaba Buenos Aires, expulsando la civilización hacia Montevideo. El vestido, las costumbres, las viviendas, todo contribuía a caracterizar a los personajes según perteneciesen a un sector u otro de la población argentina.

La significación sociopolítica del ensayo de Sarmiento no ha de hacer ignorar otros atractivos, cuando la principal dificultad a la que se ha enfrentado la crítica radica al parecer en la adscripción de la obra a un género determinado: el partidismo, el apasionamiento y la poco fiable documentación del autor, juez y parte en el conflicto que expone, convierten para algunos el estudio sociológico e histórico en una novela-ensayo o biografía novelada. Desde luego, en las dos últimas partes hoy prevalece lo atractivo del relato sobre el análisis del caudillismo y de la anarquía, y la primera ofrece un extraordinario interés adicional: en ella se descubren las posibilidades de crear una literatura nacional, a la vez que se describen las costumbres y los personajes que le darían originalidad, curiosamente aquellos —su potencial utilización poética y novelesca se revela como un inesperado aspecto positivo— que están, como el gaucho, estrechamente ligados a la barbarie autóctona. Como los hombres de la Asociación de Mayo, Sarmiento había heredado del Iluminismo la concepción liberal del progreso, y también como ellos, a través del historicismo romántico y corrientes coetáneas del pensamiento europeo, había sabido de la importancia de la historia en la constitución del espíritu de los pueblos, de la influencia del medio geográfico en la sociedad y el individuo, de la necesidad de fundamentar el progreso sobre el conocimiento de la realidad histórica y social de cada país. Las reflexiones que le sugiere la lectura de las novelas del norteamericano James Fenimore Cooper, posible modelo para los narradores argentinos, son sumamente explícitas en algunos aspectos: a medios geográficos semejantes han de corresponder «análogas costumbres, usos y expedientes», y en relación con esas peculiaridades, derivadas de una historia y de un medio determinados, se encuentran las posibilidades de realización de una literatura original. Los gauchos —ante los que Sarmiento muestra una fascinación similar a la que le produce la naturaleza hostil, salvaje y terrible de la pampa— son manifestaciones de una naturaleza primitiva, de la que dimana una extraña grandeza que se manifiesta en su valor, en su destreza, en su estoicismo ante el sufrimiento y la muerte. La originalidad cultural empezaba a mostrarse difícil de conciliar con una voluntad de progreso cuyos modelos se encontraban muy lejos de la América hispánica.

Facundo apenas fue la obra más destacada de un prosista excepcional. Ni siquiera fue la única en que Sarmiento atacó a Rosas, a la vez que analizaba personajes y avatares de la historia argentina o exponía sus propias ideas sobre la construcción del país: en *Apuntes biográficos. Vida de Aldao* (1845) se refirió a otro de los más notables representantes de la barbarie y de la anarquía; en *Argirópolis* o *La capital de los Estados confedera-dos del Río de la Plata* (1850) se ocupó de los problemas y de las soluciones que consideraba adecuadas para la organización y el progreso de la nación; en *Campaña en el Ejército Grande Aliado de Sud América* (1852) narró la derrota de Rosas y re-saltó su propia contribución a ese éxito, y a la vez se enfrentó al general vencedor y presidente de la Confederación, Justo José de Urquiza. La caída del tirano no había hecho olvidar las antiguas discordias, que ahora afectaban a quienes la oposición había unido. Del lado de Urquiza y del régimen republicano federal que suscribieron las provincias se situó un miembro tan destacado del Salón Literario como Juan Bautista Alberdi, quien respondió a los ataques de Sarmiento con cuatro *Cartas sobre la Prensa y la política militante en la República Argentina*, o *Cartas quillota-nas* (1853), a las que el afectado replicó con la serie de artículos conocida como *Las ciento y una*, muestra destacada de una lite-ratura panfletaria en la que el siglo XIX abundó. Por lo demás, las ideas de Alberdi sobre el país y sus necesidades no eran muy di-ferentes a las de Sarmiento y demás intelectuales de su genera-ción, y lo había demostrado desde su juventud, cuando ganó un temprano y merecido prestigio con su *Fragmento preliminar al estudio del derecho* (1837). Algún elogio de Rosas se conjugó allí con el pensamiento que luego se plasmó sobre todo en sus *Bases y puntos de partida para la organización política de la Repú-blica Argentina* (1852), otro severo análisis de las causas que ha-bían sumido en el caos a la América independiente, y que po-drían resumirse en una sola: los fundadores de los nuevos países habían hecho suyos los ideales de la Revolución Francesa o, a la hora de legislar, habían buscado inspiración en los Estados Uni-dos, ignorando unas circunstancias peculiares que harían inefica-ces esas pretensiones renovadoras; el legislador había de tener en cuenta que la realidad no podía ser modificada de pronto, y que su avance hacia el progreso exigía soluciones originales, atentas a las peculiaridades de la América española.

Esa convicción fue común a los pensadores más destacados de la época. Entre ellos se cuenta el mexicano José María Luis Mora (1794-1850), quien también responsabilizó de los males de su país al espíritu colonial, que habría encontrado una de sus ma-nifestaciones más negativas en el espíritu de cuerpo que determi-naba las actuaciones del clero y de la milicia, en detrimento de la moral y de los intereses públicos. Frente a esas fuerzas reaccionarias, el liberalismo enarbolaba las banderas del progreso, de la educación pública, de los derechos civiles y del espíritu nacional. Los planteamientos de los «girondinos» chilenos, entre los que destacaron José Victorino Lastarria (1817-1888) y Francisco Bilbao (1823-1865), son similares. Probablemente fue Lastarria quien más insistió en que la colonia pervivía aún en las costumbres y en la cultura, y en que era necesario luchar por la emancipación mental que permitiese la regeneración anhelada. La reforma ideológica había de permitir el desarrollo del individuo hasta capacitarlo para la libertad absoluta, hasta superar las diferencias que enconaban la vida política nacional —a partir de 1830 dominada por los conservadores, durante más de tres décadas—, y con actividades variadas trató reiteradamente de contribuir a esa empresa. Muestras notables de su esfuerzo fueron el «Discurso» con que en 1842 inauguró en Santiago la Sociedad Literaria, y sus *Investigaciones sobre la influencia social de la conquista y del sistema colonial de los españoles en Chile* (1844), y otros trabajos reunidos en su *Miscelánea histórica y literaria* (1868). Lastarria entendía que el progreso era una ley de la naturaleza, pero a la vez lo relacionaba con la educación, con la evolución del espíritu, con la reforma de las conciencias que había de traducirse en la modernización de las instituciones y del país en su compleja totalidad. Y en cuanto a Francisco Bilbao, su *Sociabilidad chilena* (1844) fue una manifestación del liberalismo más radical, frente al gobierno conservador y clerical que dominaba en Chile. Cuando publicó *La América en peligro* (1862) y *El Evangelio americano* (1864) ya ese orden parecía desplazado por otro liberal, pero eso no le impidió reiterar la conflictiva visión que casi todos compartían. Por entonces otros peligros se acentuaban, algunos exteriores —prueba evidente era la intervención francesa en México, para sustituir la Reforma liberal de Benito Juárez por una solución monárquica y conservadora—, y Bilbao relacionó la pervivencia de la cultura española con la vigencia del catolicismo, que juzgó inseparable de la monarquía, de la feudalidad, de la Inquisición y de la intolerancia, y consideró una amenaza para las libertades republicanas, débiles o quizás imposibles en países donde el orden y la libertad sólo parecían servir para la justificación de dictaduras conservadoras o liberales. Frente a Roma, frente a la teocracia, frente al despotismo y la obediencia ciega, él estaba, naturalmente, con el republicanismo: con la soberanía del pueblo y de la razón, con el respeto de la ley, con el ejemplo que ofrecían los Estados Unidos en la América del Norte, que por otra parte, con su anexión reciente de la mitad del territorio mexicano, ya habían mostrado el respeto que les merecían los caóticos países de la América hispánica.

Eso demuestra que las líneas maestras del liberalismo romántico hispanoamericano prolongaban su vigencia y se matizaban en función de las circunstancias. A este respecto tal vez el caso más significativo es el del ecuatoriano Juan Montalvo (1832-1889). En su exilio colombiano de Ipiales, cerca de la frontera de su patria, escribió entre 1869 y 1876 varias obras que se publicarían mucho después, póstuma alguna, y en las que la crítica había de ver un verdadero monumento de la lengua castellana: los *Siete tratados* (1883), los *Capítulos que se le olvidaron a Cervantes* (1895) y la *Geometría moral* (1917). Desde luego, aun enriquecidas con anécdotas, no es fácil que reclamen una atención mayoritaria las reflexiones de Montalvo sobre los prejuicios nobiliarios, sobre la belleza, sobre el perfecto sacerdote cristiano, sobre el genio, sobre los héroes de la emancipación hispanoamericana, sobre gastronomía o sobre sus convicciones político-sociales, temas de los «tratados», mientras que resultan indudables sus valores estilísticos y los de la *Geometría moral*, ese otro «tratado» sobre el amor. Prosa excepcional, al servicio de una preocupación ética que se manifiesta en función de motivos diversos —la locura, la virtud o la acción son objeto de las reflexiones de don Quijote—, es también la de los *Capítulos que se le olvidaron a Cervantes*, ese «ensayo de imitación de un libro inimitable» en el que Montalvo exhibe una vez más un lenguaje castizo, rico en reminiscencias de la literatura castellana de los siglos XVI y XVII, aunque abierto desde luego a las nuevas posibilidades de enriquecimiento del idioma. Por lo demás —y sin olvidar los escritos diversos que reunió en los tres tardíos volúmenes de *El Espectador* (1886-1888)—, Montalvo es recordado sobre todo como el panfletario político que llevó su indignación hasta el insulto y la afrenta personal cuando trató de agredir a sus adversarios. Desde joven se había mostrado propenso a la rebeldía patriótica y desdeñoso con los déspotas, pero fue a partir de 1860, tras algún tiempo de estancia en Europa, cuando tuvo las mejores ocasiones para demostrar sus habilidades. Sin desdeñar a Ignacio Ordóñez, el arzobispo de Quito que condenó los *Siete tratados* y se mereció así la *Mercurial Eclesiástica* o *Libro de las verdades* (1884), sus enemigos fueron ante todo el presidente Gabriel García Moreno, asesinado en 1875, y su sucesor Ignacio de Veintemilla. Contra ellos dirigió Montalvo sus libelos, en buena medida desde las páginas de los periódicos personales que tituló *El Cosmopolita* (1866-1869) y *El Regenerador* (1876-1878). Por añadidura, Veintemilla fue el blanco de las diatribas que Montalvo denominó *Catilinarias* (1880-1882), culminación de una literatura de combate que en el XIX hispanoamericano alcanzó un excepcional desarrollo.

Sin descanso, en defensa de una democracia liberal, Montalvo gritó contra tiranos y tiranías su pretensión de hacer del Ecuador un país civilizado, aunque sin detenerse a meditar sobre las soluciones que habrían de permitir la paz y el progreso. Fue sobre todo eficaz en la denuncia de los cuartelazos y de las guerras internas y externas que habían marcado a las repúblicas hispanoamericanas. Desde luego, también García Moreno era consciente de ese problema, y buscaba soluciones incluso cuando llegó a proponer a Napoleón III la incorporación del Ecuador al imperio francés. El ofrecimiento no encontró acogida, ni siquiera para fracasar como en México —el presidente ecuatoriano estuvo en ese conflicto del lado de Maximiliano y contra Juárez—, y la dictadura encontró justificaciones en la voluntad de salvar a un país que amenazaba con fragmentarse, en la urgencia de favorecer el progreso que las rivalidades políticas imposibilitaban, en la necesidad de salvaguardar el orden frente a los excesos de una población a la que faltaba madurez para usar correctamente de sus libertades. Además, otro factor contribuía ahora a la radicalización de los conflictos: el religioso, sobre todo desde que la Iglesia adoptó una actitud militante contra el liberalismo, y eso ocurrió en los años sesenta, cuando Garibaldi y el rey Víctor Manuel II consiguieron la unidad de Italia en perjuicio del Papado. Frente a la amenaza monárquica y frente al orden teocrático, Montalvo esgrimió otra vez los ya antiguos ideales de libertad, de igualdad y de fraternidad. Por eso su romanticismo libertario resulta quizás —como su lenguaje— un tanto anacrónico, pero era tal vez la única respuesta posible a la situación de un país que aún vacilaba entre el caos y las tiranías, como en los primeros años de independencia, y cuyos gobernantes apelaban a las soluciones de antaño. En cualquier caso, sus violentas diatribas contra los dictadores tal vez constituyen hoy lo más atractivo de la obra de otro de los más destacados prosistas hispanoamericanos del siglo XIX.

La condición «anacrónica» de Montalvo deriva en parte de que su prédica se desarrolla cuando en países como México o Argentina los representantes del romanticismo liberal, en la medida en que habían sobrevivido, habían conseguido ya incorporarse a la vida política y se ocupaban de llevar a la práctica sus ideas. Éstas, a la hora de la verdad, no parecen demasiadas, ni demasiado nuevas: como Bolívar, habían descubierto la ineficacia de unas constituciones inspiradas en el pensamiento revolucionario francés o en el modelo norteamericano, más atentas a los derechos del hombre y a las libertades teóricas de los países que a las peculiares circunstancias hispanoamericanas, y a la hora de ordenar la vida de las nuevas repúblicas insistieron en la ya señalada necesidad de encontrar soluciones propias; como los que hicieron la independencia, vieron en la colonia un tiempo de oscuridad y de tiranía, y en la pervivencia de aquella barbarie encontraron la explicación del desorden presente. Tratando de avanzar por ese territorio conocido, insistían una y otra vez en que la emancipación política no había sido acompañada de la emancipación mental: el oscurantismo español perduraba con la colaboración de nuevos tiranos, la educación colonial parecía haber incapacitado a los pueblos americanos para la libertad y la democracia. Para valorar el alcance de las novedades tal vez conviene tener en cuenta sus claves políticas y generacionales, y algunas polémicas «literarias» pueden resultar significativas al respecto. Algún interés ofrece la que suscitó el certamen poético con que los exiliados argentinos en Montevideo celebraron el aniversario de la Revolución de Mayo en 1841. Sin entrar en pormenores, conviene recordar que el unitario Florencio Varela (1807-1848), miembro del jurado, aprovechó la ocasión para negar la condición nacional de la literatura anterior a la independencia. Alberdi, que se encargó de editar los trabajos premiados, les añadiría un apéndice para rebatir aquella opinión: no sólo afirmaba el interés de autores y poemas anteriores al 25 de Mayo, sino que extendía la pervivencia del pasado hasta la generación de 1837, la del Salón Literario, que habría sido la primera auténticamente renovadora y americana. Es evidente que esa reducción de los neoclásicos a meros perpetuadores del orden colonial —ellos, que habían terminado con el dominio español— constituye una descalificación exagerada, y es consecuencia de la lucha por el poder que sostenían los jóvenes. Otra polémica, la más famosa, insiste en ese significado. Se desencadenó en Chile, en 1842, cuando Sarmiento, al comentar unos *Ejercicios populares de la lengua castellana* de Pedro Fernández Garfias, defendió la soberanía del pueblo en asuntos del idioma y redujo el papel de los gramáticos a la defensa de la tradición o de la rutina. Con la mesura que lo caracterizaba, Andrés Bello salió al paso de esas opiniones, no para oponerse al enriquecimiento del idioma, sino para condenar la irrupción masiva e innecesaria de vocablos extranjeros. Sarmiento condujo luego la disputa hacia cuestiones relacionadas con el americanismo literario: insistió en que el idioma es expresión de las ideas de un pueblo, rechazó la cultura española que estimaba en total decadencia, aconsejó el aprovechamiento directo de la cultura europea, se rebeló una vez más contra las reglas, las gramáticas y las academias, y propuso un arte propio, improvisado, hijo de las convicciones personales. Bello ya no respondió, pero lo hicieron sus discípulos, sobre todo para satirizar el «socialitismo» y el afrancesamiento de los exiliados argentinos. Éstos habían dejado bien claro en sus intervenciones que sus planteamientos literarios eran los coherentes con su búsqueda de libertad para las artes, la industria, el comercio o la conciencia: en suma, los propios del pensamiento liberal, y no hay que olvidar las implicaciones políticas que la polémica había adquirido desde el principio, o al menos desde que Sarmiento equiparó la actividad de los gramáticos a la de un senado conservador, de modo que los conservadores resultaban identificados con la colonia, con ese pasado que ahora se trataba de superar.

Podría deducirse, en consecuencia, que los románticos hispanoamericanos más significativos se sintieron representantes de una civilización naciente y de una ilustración verdadera. Así fue, en efecto, pero para precisar la orientación de su pensamiento conviene recordar que no siempre se identificaron con el romanticismo: por lo general lo hicieron suyo en la medida en que pudieron relacionar la nueva estética con la fe en la perfectibilidad social, con el progreso, con la democracia e incluso con el socialismo, pero renegaron de él —Vicente Fidel López lo hizo en el curso de esa polémica de 1842, como en otras ocasiones Sarmiento o Alberdi— cuando lo indentificaron con el catolicismo y con las evocaciones históricas de la Edad Media, algo por completo ajeno a las preocupaciones americanistas del momento. Los problemas propios determinaban esa actitud, que en último término resultaba próxima a la adoptada por la generación precedente: parecen repetirse los planteamientos que antes habían diferenciado a los liberales «neoclásicos» y «patriotas» de los conservadores o «realistas» contrarios a la independencia y a los cambios que significaba, y que ahora distinguen a los románticos liberales de quienes, no sin razones —el mexicano Lucas Alamán (1792-1853) las mostró minuciosamente en los cinco volúmenes de la *Historia de México* que publicó entre 1849 y 1852—, aún añoran el orden antiguo y luchan por preservar sus restos, amenazados sin cesar por los principios igualitarios y por las libertades republicanas. Si Bolívar y los suyos habían virado pronto hacia posiciones aparentemente conservadoras, lo habían hecho decididos a garantizar el progreso, temerosos de que el pleno ejercicio de la soberanía popular terminase en el caos. Ésas eran sus razones cuando cuestionaron los principios revolucionarios, cuando alguna vez pensaron en la instauración de regímenes monárquicos, cuando recurrieron a un despotismo que trataba de salvaguardar el orden y procurar la educación necesaria para el ejercicio de la libertad futura. Los jóvenes desconocieron esos esfuerzos, y atribuyeron a sus predecesores la convicción ingenua de que la revolución libertadora había bastado para lograr la libertad completa, para romper del todo con la colonia, para haber dado comienzo a una nueva época. Así los libertadores se convertían en idealistas más atentos a los principios que a la realidad, y a la vez en tiranos que perpetuaban el orden antiguo, un orden que los jóvenes querían derribar. Así la oposición entre las generaciones terminó convertida en una lucha entre conservadurismo y progresismo, entre el absolutismo teocrático heredado de los tiempos oscuros de la colonia y la democracia liberal que representaba el espíritu de la modernidad, entre la barbarie y la civilización, formulaciones diversas para un único conflicto.

Esos planteamientos no dejaron de ofrecer algunas paradojas, y no sólo porque Sarmiento trabajase para el gobierno conservador chileno de Manuel Montt. La actitud a veces reticente hacia el romanticismo, antes señalada, es apenas una consecuencia de las no siempre fáciles relaciones de la estética literaria romántica con el pensamiento liberal, y ese conflicto permite explicar el alcance y quizá las características dominantes de la literatura romántica hispanoamericana. Sus representantes más destacados casi nunca renunciaron a las preocupaciones que habían heredado de la generación precedente: también ellos confiaban en el poder de la razón y en la perfectibilidad del género humano, y atribuían a la educación de las masas un papel decisivo en la modernización de las nuevas repúblicas, y adoptaban actitudes moralizadoras, patrióticas, humanitarias, sociales. Por eso su pensamiento se muestra, a pesar de todo, poderosamente ligado al pasado, incluso cuando adopta —como se advierte en Echeverría o Sarmiento— planteamientos derivados de un socialismo utópico cuyas fronteras con el liberalismo desaparecían en la medida que éste insistía también en la defensa de la democracia y en el nacionalismo exaltador de lo popular. Hasta en sus manifestaciones más radicales, cuando apostó por una sociedad de hombres libres e iguales, el romanticismo «socialista» recuerda los ideales que guiaron la revolución de la independencia, y descubre sus propias limitaciones prácticas en la medida en que los jóvenes insistieron sobre todo en el carácter «revolucionario» de la educación, relegando las transformaciones —siempre se trataría de reformas realizadas desde arriba, desde las clases dirigentes, perpetuando también en este aspecto las actitudes del despotismo ilustrado— a los aspectos «morales» de la sociedad que se trataba de modernizar. Así se conjuraba el peligro o la tentación de intentar revoluciones más profundas, mientras se contaba con justificación suficiente para atentar contra el orden «conservador» establecido, y para «conservar» el propio en cuanto los emancipadores mentales se hicieron con el poder y se entregaron a la educación de unas masas que ellos tampoco encontraron preparadas para la libertad. Desde luego, no faltan los que trataron de llegar más lejos en la transformación, como Lastarria, que asumió una de las actitudes más radicales al plantear determinados aspectos del romanticismo hispanoamericano en lo que tenía de social, de orientado hacia el progreso y hacia el futuro, de ideología reformadora. El romanticismo social chileno alguna vez llegó incluso a entender que la degradación de las masas tenía que ver no sólo con su incultura, sino también con la miseria, e incluso con la injusta distribución de la tierra. Algunos ideólogos de la Reforma mexicana pensarían lo mismo, pero esos planteamientos son sin duda excepcionales entre quienes buscaban ante todo la emancipación mental.

Por otra parte, como la generación anterior, los románticos también encuentran fuera sus modelos: Estados Unidos, Francia e Inglaterra siguen siendo los preferidos. Pero su actitud es aún más radical que la de sus predecesores: como ha podido advertirse, llegan a plantear la lucha de los liberales contra los tiranos o contra el orden conservador como una lucha en favor de Europa y contra América. Desde luego, dejan claras sus razones: América es la herencia de España y de su odio a la civilización europea de los últimos siglos —la que representan Francia o Inglaterra—, y es esta Europa de la libertad y del progreso la que debe ahora conquistar América, completando la obra de la Europa medieval que España realizó. La coherencia de estos planteamientos con otros anteriores es indudable, pero su significación, tal vez paradójica, debe resaltarse: los románticos se ven a sí mismos como europeos trasplantados a América, y en el nuevo solar nativo desean reproducir una civilización superior que sienten como suya. Renuncian a las utopías, pero no a las metas, y esa actitud da a la generación liberal y romántica una fisonomía realista, experimental, científica: se trata de afrontar una realidad negativa y de transformarla hasta conseguir una personalidad nueva, hasta que América fuese otra Europa. En consecuencia, en la búsqueda de emancipación mental nada tiene que decir la América española, y menos aún la América indígena, que casi siempre se ve como un lastre para la civilización, aún mayor que la cultura colonial de los mestizos y blancos. La esperanza de futuro había de asociarse con frecuencia al fomento de la inmigración europea, preferentemente anglosajona, que neutralizase las incapacidades de los nativos. Los románticos hispanoamericanos lamentaron la adopción de constituciones ajenas a la realidad americana, y a la vez soñaron con la importación de las gentes que hiciesen posible la implantación en Hispanoamérica de esa legislación extraña.

En cuanto a la herencia española, la cuestión del idioma no pudo ser ignorada. Pronto alguna voz vaticinó la fragmentación dialectal del castellano que conduciría con el tiempo a la aparición de nuevos idiomas, y no faltaron los defensores de la creación de una lengua nacional —Juan María Gutiérrez figuró entre ellos—, pero los temores que Bello manifestó en el prólogo a su *Gramática castellana* —se refirió allí a la abundancia de neologismos y de locuciones extrañas que amenazaban con convertir al español americano en una multitud de idiomas irregulares, licenciosos y bárbaros— no resultaron justificados por la actitud de los románticos: casi todos entendieron que la lengua común era un legado valioso que habían de salvar. El americanismo y sus manifestaciones nacionalistas quedaron así relegados al ámbito de la literatura, con la que se relacionaron las posibilidades de crear una cultura propia. Esa convicción fue expresada por Echeverría en el epílogo a su poemario *Los consuelos* (1834), cuando reclamaba una poesía «revestida de un carácter propio y original», atenta a la naturaleza, a las costumbres, a las ideas dominantes, a los sentimientos, a las pasiones y a los intereses sociales del medio en que surgía. «Si hemos de tener una literatura —opinó Juan María Gutiérrez en 1837, al inaugurar el Salón Literario— hagamos que sea nacional, que represente nuestras costumbres y nuestra naturaleza, así como nuestros lagos y anchos ríos sólo reflejan en sus aguas las estrellas de nuestro hemisferio» (Martínez, 1972: 97). Esas posiciones fueron alguna vez radicales —en su discurso inaugural de la Sociedad Literaria, Lastarria abogó por una literatura de carácter popular, que no fuese «el exclusivo patrimonio de una clase privilegiada» (1885: 113)—, pero casi siempre pudieron ser asumidas incluso por quienes procedían de la generación anterior, como en el caso señalado de Andrés Bello. A veces se impusieron lentamente y sin actitudes particularmente ruidosas: en México se descubren desde época temprana, pero en 1869, al fundar *El Renacimiento*, Ignacio Manuel Altamirano (1834-1893) todavía convocaba a la realización de ese programa, y después tendría aún ocasión de polemizar en el Liceo Hidalgo con los partidarios de continuar la tradición española. En todas partes se esperó de la literatura una contribución decisiva a la cultura americana y a la libertad de los pueblos —se la consideraba como un termómetro de civilización—, y a la vez que fuese un fiel reflejo de la sociedad, de su evolución o de sus revoluciones, del paisaje y de la historia de la América hispanohablante. Todos confiaron en que una expresión literaria original derivaría de la naturaleza, la historia, las costumbres, los sentimientos y cuanto tuviesen de peculiar los hombres y las tierras de América.

A la hora de la verdad la literatura también se vio determinada por la búsqueda de estabilidad y de progreso: en ella se diluyeron los contenidos revolucionarios del romanticismo, y la pretendida ruptura con la generación precedente es con frecuencia difícil de percibir. Desde luego, el historicismo romántico favorecía el nacionalismo literario, que trataba de destacar la originalidad derivada de la geografía y de la historia, aunque fuesen factores negativos, y esa insistencia en lo particular, esa exaltación de la diferencia, ya marca distancias con el universalismo iluminista. Pero incluso cuando se trató de reflejar lo propio se manifestaron los lazos que aún se mantenían con la literatura peninsular, y la mejor prueba es tal vez ese género tan cultivado entonces que se conoce como «cuadro de costumbres». Mariano José de Larra fue el maestro reconocido de Sarmiento, y Alberdi llevó su admiración hasta adoptar para sí el pseudónimo de «Figarillo». Tampoco faltan las influencias de Serafín Estébanez Calderón y de Ramón de Mesonero Romanos entre los numerosos «costumbristas» que proliferaron por todas partes y durante un período prolongado, al calor del nacionalismo literario y de su exaltación del color local, y también con mucha frecuencia impulsados por urgencias de carácter social o político. Uno de los más destacados, el mexicano Guillermo Prieto (1818-1897), es buena muestra tanto de la larga pervivencia del género como de su filiación declarada: escribió tal vez sus mejores cuadros a partir de 1878, cuando en el periódico *El Siglo XIX* publicó semanalmente su columna «Los San Lunes de Fidel», con la pretensión de reflejar una realidad propia y de señalar sus defectos —«moralidad y progreso» pudo haber sido su lema—, pero sin ocultar que sus modelos —en Mesonero había encontrado el pseudónimo de «Fidel» que usó desde 1842— eran peninsulares. Otros costumbristas merecen el recuerdo, como el mexicano José María Roa Bárcena (1827-1908) o el colombiano José Caicedo Rojas (1816-1897), o el propio Lastarria, pero entre ellos destaca tal vez el chileno José Joaquín Vallejo, «Jotabeche» (1811-1858), que escribió sobre todo entre los años 1841 y 1847. Como cabía esperar de un protagonista del Movimiento Literario de 1842 —las célebres polémicas sirvieron también para que se acusase en Chile la presencia de una nueva generación—, «Jotabeche» trató de conjugar el nacionalismo literario con la función didáctica aconsejada por la pretensión de renovar la cultura americana, y sobre su entorno volcó una mirada irónica y a menudo festiva que afectó incluso a esas «costumbres» modernas que eran el liberalismo y el romanticismo. Paisajes, situaciones, anécdotas, tipos y hábitos centraron una atención atraída por lo pintoresco, pero también resuelta a la crítica de vicios sociales y políticos. Éstos no oscurecieron la visión optimista de un país en rápido proceso de modernización y desarrollo: «Jotabeche» era un conservador que creía en la razón y en el progreso, y en sus escritos dejó un excepcional testimonio de la vida chilena del momento, especialmente —durante los años de mayor actividad literaria vivió casi siempre en su ciudad natal de Copiapó— de la que entonces tuvo su centro en el norte minero.

La época fue favorable en toda Hispanoamérica para el desarrollo de otras posibilidades literarias más o menos relacionables con el interés por los usos y costumbres de los pueblos, también conjugado con las inevitables pretensiones educativas. Al margen de los discursos, de los ensayos históricos y de jurisprudencia, de los folletos políticos y de las memorias literarias (de todo ello he dejado algún testimonio, y podrían ofrecerse otros), ocasionalmente esas preocupaciones se tradujeron en obras de particular atractivo, como la que Domingo Faustino Sarmiento tituló *De la educación popular. Viajes por Europa, África y América* (1849-1851). Era el testimonio de más de dos años dedicados a observar los métodos educativos de distintos países, misión que el gobierno chileno le había encomendado en 1845, y una ocasión excepcional para modificar o confirmar su teoría sobre la civilización y la barbarie. Sarmiento se sintió decepcionado por la Francia real, un país política y económicamente atrasado, y describió, a veces con fascinación, costumbres pintorescas de una España fanática e ignorante, cuya barbarie vio prolongada en el norte de África. Luego, la riqueza cultural del pasado no le impidió descubrir en Italia un mundo de superstición y de miseria. Con la desidia de los países mediterráneos contrastaban la limpieza y la industria de Suiza, de Alemania, de los Países Bajos o de Inglaterra, y, así preparado, el viajero había de encontrar en los Estados Unidos de Norteamérica el modelo de sociedad que estaba buscando: sin ignorar los defectos de aquel joven país, Sarmiento lo identificó con la tolerancia y con la prosperidad, con la alfabetización y el trabajo. Frente a la Europa del despotismo y de la miseria, el Nuevo Mundo proponía una sociedad de hombres celosos de su libertad y a la vez preocupados por el bien común.

Tras la caída de Rosas, Sarmiento manifestó reiteradamente su fe en el progreso y en la democracia, y de sus esfuerzos para hacerlos posibles dan testimonio *Educación común* (1853) y otros trabajos posteriores, relacionados con esa preocupación que fue constante a lo largo de toda su vida. Desde luego, ninguno de ellos tiene el interés literario de los *Viajes*. Para encontrar un atractivo similar hay que acudir a aquellos escritos en los que Sarmiento hizo de sí mismo el tema fundamental. De algún modo en todos lo fue, pero en ninguno tanto como en los *Recuerdos de Provincia* que publicó en 1850. No era la primera obra en que daba cuenta de su vida —de 1843 es *Mi defensa*, donde respondía a ciertos ataques que en Chile trataban de minar su reputación, y aprovechaba para dar a conocer sus orígenes, su carrera civil y militar, sus ambiciones y sus logros—, pero es sin duda la más interesante. Frente a Rosas y las difamaciones sobre su persona que se divulgaban desde Buenos Aires, dejaba constancia ahora de los tiempos difíciles que había vivido en San Juan, de sus esfuerzos para superar las limitaciones culturales del medio en que le había tocado nacer, de los variados trabajos realizados durante sus muchos años en el exilio, del tesón infinito que lo había aupado, no sin contratiempos y enemistades, al lugar que ocupaba en los medios políticos y civiles chilenos, en la prensa y en la educación de un país en el que muchos no habían olvidado en ningún momento su condición de extranjero. Desde luego, se mostraba preparado para prestar a su patria grandes servicios contra la barbarie presente, como antes se los habían prestado los miembros de su familia que combatieron la barbarie española, y que ocupan un lugar importante en esas memorias.

El futuro le otorgaría la victoria sobre Rosas, y luego la Jefatura del departamento de Escuelas, y el Ministerio de Gobierno y Relaciones Exteriores, y la Presidencia de la República, entre otros muchos cargos. En todos ellos la educación fue tal vez su preocupación fundamental, mientras nuevos escritos enriquecían las dimensiones de una obra desmesurada. Ninguno alcanzó ya ni de lejos el interés literario de los *Viajes*, de los *Recuerdos de Provincia* o del *Facundo*, que bastan para hacer de Sarmiento el prosista más destacado del romanticismo hispanoamericano.

6. EL PENSAMIENTO POSITIVISTA Y SUS CONSECUENCIAS

En 1867, en su «Oración cívica», el médico mexicano Gabino Barreda (1818-1881) distinguió en la historia de su país una etapa colonial, correspondiente al «estado religioso», seguida a partir de la independencia por otra del «estado metafísico», el de las ideas liberales utópicas, y preconizó el comienzo de un nuevo período «positivo», caracterizado por el orden y el progreso. Entre 1847 y 1851 había estudiado en París, y ahora aplicaba las doctrinas de Augusto Comte al análisis de la realidad nacional. Así llegaba el positivismo a México, a la vez que se producía el triunfo definitivo de los liberales: encargado por Benito Juárez de organizar la instrucción pública con criterios laicos y científicos, Barreda creó también en 1867 la Escuela Nacional Preparatoria, por la que debían pasar todos los estudiantes destinados luego a las distintas Escuelas Profesionales. Poco antes el emperador Maximiliano había cerrado la Real y Pontificia Universidad creada en 1851, dominada por la educación escolástica y el pensamiento conservador.

Por la misma época se produce la irrupción del positivismo en otros países hispanoamericanos. En sus *Recuerdos literarios* (1878), Lastarria asegura que no conoció la *Filosofía positiva* hasta 1868, cuando ya cierto desencanto parecía haberle preparado para la adopción de esa doctrina. Encontró en Comte una explicación científica del orden social, y aceptó la ley de los tres estados como si fuese una manifestación o una prueba del progreso del espíritu humano. Desde la Academia de Bellas Letras, que inauguró en Santiago en 1873, difundió las novedades de que hablan sus *Lecciones de política positiva* (1874). En cuanto a Argentina, en 1870 Sarmiento había fundado la Escuela Normal de Paraná, desde la que el italiano Pedro Scalabrini (1848-1916) trató de difundir una educación para la libertad y el progreso. En esa tendencia se inserta José Alfredo Ferreira (1863-1935), notable representante de la orientación liberal del positivismo.

Porque conviene advertir que las doctrinas de Comte rara vez se aceptaron en su integridad. Quizá fue en Chile donde el filósofo francés encontró sus seguidores más incondicionales: en la citada Academia de Bellas Letras, que perduró hasta 1881, se iniciaron tanto Valentín Letelier (1852-1919), que continuaría la línea heterodoxa y liberal de Lastarria, como los hermanos Lagarrigue —Jorge (1854-1894), Juan Enrique (1852-1927) y Luis (1864-1956)—, que fueron de los pocos que hicieron suyos la religión de la humanidad y los fundamentos despóticos de la teoría política comtiana. Las peculiaridades del pensamiento positivista hispanoamericano estriban en que se trató sobre todo de una actitud, relacionada con la voluntad de progreso y de alcanzar la verdad: una actitud que sólo daba relieve a la experiencia, al conocimiento de los hechos, al rigor científico, contra el uso irrestricto de la razón, contra las verdades abstractas y absolutas, contra las creencias religiosas, contra la intuición. Quedaba rechazado todo «a priori», incluso cuando provino de los mismos positivistas, de modo que el «cientificismo» fue ante todo una actitud «pragmática» que se proyectó sobre la política, sobre la moral —el positivismo se proponía como una moral del desinterés, de la objetividad, de la probidad del pensamiento— y sobre las «ciencias sociales», cuyo desarrollo inspiró. Ese pragmatismo había sido anticipado de algún modo por la generación romántica, cuyos miembros más destacados, como Echeverría o Alberdi, ya pretendían ser «positivos»: ajenos a la metafísica, atentos a la realidad y sus posibilidades de transformación. Incluso se ha querido encontrar ese espíritu en la última fase de la Ilustración argentina, cuyo empirismo habría preparado el camino para el realismo social de la generación de 1837.

Lo cierto es que representantes tan destacados del romanticismo «pragmático» como Lastarria o Sarmiento se reconocieron de inmediato en esas novedades, y ello demuestra hasta qué punto el ambiente era propicio para su difusión. Los intelectuales americanos entendieron que el positivismo era la filosofía que mejor se adecuaba a sus búsquedas personales. El interés político de los nuevos planteamientos no debe ignorarse: el descrédito de las revoluciones se hizo inevitable desde que se entendió la historia como una marcha progresiva e inexorable hacia formas más perfectas, una evolución que nada podría adelantar ni retrasar. El comtismo esgrimió esas razones al repudiar la Revolución Francesa, identificada con el jacobinismo fanático. Los hispanoamericanos encontraron en ellas la confirmación científica de sus teorías sobre el fracaso de las nuevas repúblicas: también allí las utopías se habían demostrado perniciosas. Así se pudo justificar en ocasiones el desdén hacia el sistema parlamentario, acusado de absurdo e inmoral, y defender regímenes autoritarios o dictatoriales, con tal de que contribuyesen a la superación de todo espíritu metafísico o revolucionario. Pero eso no fue lo común: por lo general en Hispanoamérica se prefirieron las doctrinas de Herbert Spencer, que había relacionado el ejercicio de la libertad con las sociedades industrializadas, relegando las tiranías a una etapa histórica guerrera y superada. Industria y educación se convirtieron en lemas de los nuevos pensadores, convencidos de que una evolución necesaria llevaba del atraso al desarrollo, del autoritarismo a la libertad.

Desde luego, las valoraciones del pasado reciente ofrecen distintos matices en cada país y en cada autor destacado, y un caso significativo es el de México, donde el pensamiento positivista de finales del XIX se encuentra representado sobre todo por Justo Sierra (1848-1912). Cuando éste fundó el «diario liberal conservador» *La Libertad*, en 1878, el país llevaba más de cincuenta años de independencia y de caos, con desastrosas consecuencias:

entre otras, la pérdida de la mitad de su territorio, anexionado por los Estados Unidos, el poderoso vecino que era a la vez una amenaza permanente y el modelo de desarrollo que México había de imitar para no ser absorbido por completo. Las enseñanzas de Barreda habían abierto caminos esperanzadores, y Sierra las aprovechó para ver en la sociedad mexicana un organismo en evolución, cuya transformación normal e inevitable se habría visto alterada por las rupturas revolucionarias, verdaderas enfermedades de ese cuerpo social. Para la solución del problema nacional había que pasar de la *era militar* a la *era industrial*, había que superar el conflicto entre liberales y conservadores, unos y otros responsables del caos. La nueva generación proponía un orden para el progreso, y ésa fue en buena medida la justificación del régimen autoritario de Porfirio Díaz, que dirigió los destinos de México entre 1878 y 1911. Al menos en teoría, también se trataba de un orden para la libertad, ideal al que estos liberales transformados en positivistas no renunciaban. Pero la experiencia había demostrado sobradamente la incapacidad del país para el ejercicio pleno de la democracia. Se necesitaba una nueva educación, y el positivismo prometía formar hombres prácticos, como los de los países anglosajones, tan celosos de sus libertades y derechos individuales. Otra vez el intelectual se sentía destinado a dirigir a su pueblo, razón por la que Sierra asignó una función educativa a su tarea de historiador. En ella destacan los ensayos «Historia política» y «La era actual», escritos para la obra colectiva *México: su evolución social* (1900-1902) y reunidos desde 1940 bajo el título *Evolución política del pueblo mexicano*. Allí ofreció su visión de las transformaciones sufridas por ese organismo social en el camino necesario del progreso, que constantemente trató de impulsar también desde los cargos públicos que desempeñó. Se quería para México la educación científica que por fin liquidase la mentalidad colonial, y la solución parecía radicar en la aparición de minorías ilustradas, formadas en la exaltación de la ciencia aportada por el positivismo y capaces de difundir ese espíritu. La empresa adquiría así un carácter cívico, moralizador, patriótico: se trataba de crear un país acorde con las exigencias de la civilización.

Ese espíritu se muestra muy extendido, reiterando la actitud de Sarmiento y de cuantos habían pretendido llevar la civilización hasta las bárbaras tierras de América, entendiendo que la educación era la fórmula por excelencia para incorporarlas a la carrera del progreso. Con frecuencia se trató de evitar que el materialismo pervirtiese las conciencias: la nueva mentalidad científica no había de ser ajena a los principios del bien, de la justicia, de la dignidad humana. Los pensadores más destacados de la época fueron educadores que buscaban la regeneración de sus pueblos, la formación de hombres capaces de practicar la virtud desinteresadamente. Algunos hubieron de luchar a la vez por la emancipación mental y por la independencia política, como el puertorriqueño Eugenio María de Hostos (1839-1903), a quien una temprana y activa participación en la vida política española convenció pronto de la imposibilidad de alcanzar un acuerdo pacífico para la independencia de las colonias americanas. Por la libertad y por la abolición de la esclavitud había trabajado siempre, y en 1868, ante la actitud del gobierno de la República, la ruptura con España se hizo inevitable. Desde entonces soñó con una Federación Antillana independiente, y a ese proyecto dedicó su vida, que fue una larga peregrinación por distintos países de América. Desde ellos, y en especial desde Chile y la República Dominicana —en Santo Domingo fundó en 1880 la Escuela Normal, donde las ciencias positivas se convirtieron en base de los programas de una enseñanza racional y laica—, desarrolló su labor de político, de sociólogo, de pedagogo y de moralista, que se tradujo en obras notables, como *Lecciones de Derecho Constitucional* (1887), *Moral social* (1888) y el póstumo *Tratado de Sociología* (1904).

Hostos fue un educador para la libertad, preocupado por la reforma espiritual y social que permitiese el desarrollo de instituciones republicanas democráticas. En su pensamiento se conjugaban el krausismo español que había conocido en Madrid —su racionalismo, su espiritualismo laico, su fe en la educación— con un positivismo que era ante todo una lección de progreso, la confianza en la evolución inevitable desde la barbarie hacia la civilización, el interés en las ciencias sociales y de la naturaleza. En sus trabajos sociológicos buscó un enfoque nuevo y científico para el análisis de la realidad social, y en su pensamiento es constante la preocupación por conciliar el progreso material con el progreso moral de los pueblos. Se trataba de educar con los métodos de investigación positivista, de basar en la razón el cumplimiento del deber, de conjugar el pensamiento con la acción, el ideal con la práctica. Esas eran las armas de Hostos para luchar por la libertad y la justicia, contra el atraso económico y cultural, y también contra el colonialismo, pues la independencia de su país tenía que ver con la redención del hombre que constituía el Ideal de la Humanidad. Vivió lo suficiente para conocer el fracaso de sus esfuerzos, para ver cómo Puerto Rico pasaba del dominio de España al de los Estados Unidos.

El cubano Enrique José Varona (1849-1933) pudo celebrar la independencia de su país, y tuvo tiempo también para el desencanto, como muestran los artículos reunidos en *Mirando en torno* (1910) y otros escritos posteriores. Heredero de José Antonio Saco (1797-1879) y de José de la Luz y Caballero (1800-1862), educadores de la conciencia nacional, había ocupado toda su vida en tareas intelectuales. Nunca elaboró obras orgánicas extensas: su producción «ensayística» está constituida por escritos breves y muy numerosos, que en parte reunió en los libros titulados *Conferencias filosóficas* (primera serie de 1880, y dos más de 1888), *Estudios literarios y filosóficos* (1883), *Seis conferencias* (1883), *Artículos y discursos* (1891), *Desde mi belvedere* (1907) y *Violetas y ortigas* (1917), y en los que se conjugan el educador, el sociólogo, el filósofo y el crítico literario. Su actitud frente a la metrópoli fue primero reformista y pronto revolucionaria, y el pensamiento nuevo le fue especialmente útil cuando trató de evitar que se reprodujesen en Cuba las experiencias vividas por las repúblicas hispanoamericanas. Para eliminar la herencia española se apoyó en un positivismo respetuoso con la libertad e incluso capaz de estimularla, y atento a la realidad para estirpar las causas de los males que aquejaban a ese organismo que era la sociedad cubana. Otra vez la civilización se relacionaba con la regeneración moral, con la superación de todo dogmatismo, con el logro de la libertad y de la independencia. Otra vez la educación se revelaba fundamental para el progreso, identificado con una sociedad responsable y solidaria.

En consecuencia, la irrupción del positivismo supone que los teóricos de la emancipación mental han encontrado por fin una filosofía capaz de terminar con la mentalidad colonial, un pensamiento para la libertad y para la democracia, presentes o futuras. No hay que olvidar, sin embargo, que su adopción en Hispanoamérica favoreció el éxito de las teorías que la ciencia del siglo iba aportando, y que afectaron al derecho penal, a la filosofía, a la historia, a la educación, a la psicología, a la medicina y a cualquier otro campo del conocimiento, incluidas las manifestaciones artísticas y literarias. Uno de los aspectos más sobresalientes es el relativo a los estudios de psicología social o colectiva, que constituyeron un esfuerzo fundamental para la definición del carácter nacional y que han de relacionarse con el desarrollo de las ciencias sociales y políticas. Argentina, tal vez el país más atento a las novedades, muestra que no se ignoraron las aportaciones de la psiquiatría: con *La neurosis de los hombres célebres* (1878), el médico José María Ramos Mejía (1849-1914) inició allí los estudios de psicología social, que se reveló útil para analizar la historia patria. Con esa pretensión, desde una perspectiva menos médica y más sociológica, escribió luego *Las multitudes argentinas* (1899) y *Rosas y su época* (1907), donde usó también de la jurisprudencia criminal desarrollada a partir de las teorías del antropólogo y penalista italiano Cesare Lombroso, que antes le habían servido para elaborar obras tan dispares como *Principios clínicos sobre traumatismo cerebral* (1879) o *La locura en la Historia* (1895). Ramos Mejía conseguía una interpretación «científica», biológica, para ese organismo social que era la República Argentina, una vez que teóricos como los franceses Gabriel de Tarde y Gustave Le Bon habían descubierto que un hombre en multitud difiere de lo que es como individuo, que en el alma colectiva operan elementos inconscientes, herencias seculares.

Esa actitud cientificista, que muchos compartieron, tenía un riesgo que no tardó en manifestarse: por necesario, el proceso evolutivo se convertía en una manifestación de leyes naturales ajenas al libre albedrío, y, en cuanto algunas tesis racistas y deterministas se volcaron sobre el análisis de la realidad americana, el evolucionismo materialista amenazó con imponerse a la propia teoría positivista del progreso social. Para muchos se acabaron las esperanzas sobre el futuro de América que habían sostenido generaciones anteriores, confiadas en los efectos de la educación. El organicismo social hizo de la sociedad una masa constituida por organismos menores. Tarde y Le Bon habían descrito negativamente los comportamientos de la multitud, bárbaros y primitivos, y, por si eso fuera poco, en relación con la América hispana gozaron de interés y difusión teorías que obligaban a relacionar la evolución sociocultural de los pueblos con las razas de sus habitantes, que los «descubrimientos» europeos dividieron en «superiores» e «inferiores». Desde luego, nada de eso constituía una novedad absoluta (ni siquiera el racismo: Alberdi ya había dudado de las posibilidades de educar al gaucho, al roto o al cholo, y de hacerlos comparables en virtudes a un trabajador inglés), pero ahora sirvió para explicar el desarrollo de unos países —como Argentina, cuya superioridad étnica parecía evidente— y el atraso de otros. Cuando las esperanzas positivistas en el progreso indefinido empezaron a desvanecerse, y eso ocurrió a fines de siglo, proliferaron los diagnosticadores de los males del continente, y fueron muchas las obras que se ocuparon de la barbarie, del salvajismo, de la degeneración y de la locura de una sociedad concebida como un cuerpo enfermo. Desde luego, casi siempre se entendió que las particularidades de una nación podían vigorizarse o renovarse —para eso se contaba con la educación y la ciencia—, casi siempre la psicología social o colectiva se relacionó con las ideas y emociones de sus miembros, y no sólo con las condiciones materiales, económicas y raciales. Pero eso no evitó que se considerase negativa para América la abundante presencia de razas subalternas, una vez que la antropología había demostrado la inferioridad de las razas de color, destinadas a desaparecer según las leyes de la selección natural, a consecuencia de la lucha por la vida y del triunfo de los mejor dotados para adaptarse al medio. Esa visión pesimista del presente también estuvo relacionada con la importante presencia mestiza, pues el mestizaje equivalía a la reproducción de los rasgos más atávicos o primitivos, o los de más baja condición moral.

Algo de eso puede encontrarse en varios estudios de indudable interés: en el *Manual de patología política* (1899), del argentino Agustín Álvarez (1857-1914) —quien en *South America* (1894) había insistido en la crítica de la razón «pura» y en la defensa de la razón «experimental» y del humanismo laico como posibilidades de progreso—, en *Continente enfermo* (1899), del venezolado César Zumeta (1860-1955), en *Nuestra América* (1903), del argentino Carlos Octavio Bunge (1875-1918), y en *Pueblo enfermo* (1909), del boliviano Alcides Arguedas (1879-1946). Las posiciones de cada cual —incluida su valoración de las distintas razas— difieren en muchos aspectos, pero coinciden en la conclusión fundamental: los males de los países hispanoamericanos (su enfermedad) derivaban sobre todo de su composición racial.

Esa conclusión refrendaba en Argentina las actitudes racistas que habían caracterizado al pensamiento liberal al menos desde Echeverría. Parecía probado ahora que a cada raza corresponde una particular constitución psíquica, transmitida por herencia (los descubrimientos científicos así lo proclamaban), y que esa psicología común constituye el carácter nacional o, en los países étnicamente complejos, lo determina. Los blancos europeos había demostrado su superioridad física, intelectual y moral, y —puesto que en el mestizaje se veía una degeneración— sólo ellos contaban para el futuro. Ésos fueron los presupuestos de Bunge, sin duda uno de los ensayistas más destacados de ese momento, al escribir *Nuestra América*. Los fundamentos biológicos de la adaptación al medio —la herencia y la selección natural o lucha por la vida— le permitían determinar las causas que habían impedido el desarrollo: las encontró en la arrogancia española, en la pasividad y el fatalismo oriental de los indígenas, en el servilismo y la infatuación del negro, en la degeneración que representaban mestizos y mulatos. No eran muy distintas a las que había señalado Sarmiento en *Conflictos y armonías de las razas en América* (1883), cuando se refirió acusadoramente a la conjunción de la raza prehistórica de los indígenas con las deficiencias de una raza hispana anclada en el medioevo. Ésas eran las raíces del caciquismo y de los desórdenes políticos de Hispanoamérica, y también de la pereza mental, de la tristeza y de la arrogancia características del alma criolla. Sólo quedaba esperar —puesto que las formas democráticas de gobierno son propias de las razas más blancas y puras, detentadoras también de la inteligencia y de la alegría— los remedios que podían provenir de regímenes de orden y progreso, como el de Díaz en México. De este modo el desdén de Comte hacia las instituciones parlamentarias venía a encontrar una justificación racial imprevista para el filósofo francés: Bunge había demostrado que en la América enferma la fe en la democracia era un desgraciado remanente del igualitarismo de la Revolución Francesa, había descalificado las viejas utopías y también —no hay que olvidar que ya están en danza anarquistas y socialistas— las nuevas.

Bunge al menos contaba en su país con una superioridad étnica que permitía abrigar alguna esperanza en un futuro imperialismo argentino. Más pesimistas habían de ser las conclusiones de Alcides Arguedas, a quien su condición de novelista —en sus ficciones trató también de profundizar en la psicología nacional boliviana— podría garantizar una condición literaria superior. En su producción ensayística quizá destaca esa «contribución a la psicología de los pueblos hispanoamericanos» que tituló *Pueblo enfermo*, y que amplió considerablemente desde su primera edición, en 1909, hasta la definitiva de 1937. Sus lecturas habían sido similares a las de Bunge, incluidas la del propio Bunge y la de algunos compatriotas que ya habían avanzado por ese camino durante las últimas décadas del siglo XIX. El positivismo había irrumpido en Bolivia en los años setenta, adaptado por los liberales a su voluntad de progreso y aplicado al análisis de la realidad nacional. Los resultados no fueron halagadores: Gabriel René-Moreno (1836-1908) comprobó el predominio de indios incapacitados por su raquítico organismo mental para el ejercicio de las libertades republicanas, masa de resistencia pasiva destinada a desaparecer, y de mestizos revoltosos, serviles, híbridos y estériles. En la inmigración europea y en la industrialización radicaban las esperanzas para el país, liberado en el futuro de las razas inferiores que lastraban su desarrollo.

Esa visión de la sociedad boliviana —y la semejante de Nicomedes Antelo, que vivió en Buenos Aires desde 1860 hasta 1882 y pudo contrastar el progreso argentino con el atraso de su patria— es la herencia que recoge Arguedas. Sin dejar de tener en cuenta las características del medio geográfico y de juzgarlas decisivas, también él consideró inferior a la raza indígena, y vaticinó y tal vez deseó su extinción al ser derrotada en la lucha por la supervivencia; también él dibujó con tintes absolutamente negativos a los mestizos, sobre los que hizo recaer la responsabilidad de la desgraciada historia nacional. El fracaso de Bolivia, cada vez más acentuado desde su constitución como república independiente, se debía a esos factores determinantes, y confirmaba la inviabilidad de las instituciones democráticas en aquella realidad. Sólo una educación adecuada podría atenuar en alguna medida esas condiciones negativas, y Arguedas esperó con ansiedad que un ser superior viniese a remediar tal estado de cosas. Comte y los regeneracionistas españoles no eran ajenos a estos planteamientos.

No todos estuvieron de acuerdo con el darwinismo social, y bien lo prueba el caso del peruano Manuel González Prada (1844-1918). La derrota ante Chile en la Guerra del Pacífico (1879-1883) le descubrió un país inmerso aún en el servilismo feudal de la adhesión a los caudillos, en la fatal herencia española y en la secuela de militares y burócratas legada por la independencia. La ciencia positiva parecía también el camino para la libertad, acabando con la teología y con la metafísica, con la ignorancia de los gobernantes y con la servidumbre de los gobernados. Había que proclamar la verdad, aunque eso significase desvelar la podredumbre y la miseria. El diagnóstico de la enfermedad era el primer paso para la demolición del pasado, y González Prada se entregó con violencia a esa tarea patriótica: «¡Los viejos a la tumba, los jóvenes a la obra!», clamó en su célebre discurso del Teatro Politeama, en 1888. Convocaba a la lucha por la regeneración social, contra las malas ideas y los malos hábitos, contra leyes y constituciones ajenas a la realidad peruana, contra la herencia colonial de la plutocracia y el clero, contra los escritores arcaizantes, contra los profetas que anunciaban el fracaso definitivo de la América latina. Los escritos reunidos en *Páginas libres* (1894) y *Horas de lucha* (1908) muestran una creciente radicalización en los planteamientos, que insisten en los reproches a una legislación inadecuada a la realidad, en la necesidad de la emancipación mental, y en las condenas del caudillismo y la anarquía. Jacobinamente anticlerical, González Prada defendió todas las libertades, incluidas las de culto, de conciencia y de pensamiento, y se manifestó en favor de una educación laica que pusiese fin a la ignorancia y a la servidumbre que el catolicismo habría fomentado. En la ciencia, con su desinteresada búsqueda de la verdad, veía la manifestación de una nueva moral de la paz y de la tolerancia, y la esperanza de conseguir las reformas sociales que permitiesen mejorar la condición del individuo. Una orientación anarquista lo llevó desde los últimos años del siglo XIX a mostrarse cada vez más proclive a la libertad y al igualitarismo, también para los indígenas, que habrían de redimirse por su propio esfuerzo. En el artículo «Nuestros indios» (1904) explicó por primera vez la supuesta «inferioridad» de la población autóctona como un resultado del trato recibido, de la carencia de una educación adecuada. Más aún: el problema del indio era ante todo económico y social, relacionado con la propiedad, con la posesión de la tierra. Para González Prada la superioridad y la inferioridad no tenían que ver con las razas, y sí con la condición moral del individuo.

Eso no evitó que en Perú —como en Bolivia, donde políticos y pedagogos trataron de traducir los planteamientos positivistas en medidas prácticas después de 1900— se reiteraran las opiniones favorables a una inmigración europea masiva que colaborase a la transformación del país, a la vez que una educación adecuada preparaba a la población para el trabajo y la industria. Se trataba, por una u otra vía, de conseguir hombres prudentes y prácticos, ajenos a una tradición española configurada por intelectuales y por burócratas inútiles. Por otra parte, el caso de González Prada, como antes el de Hostos, muestra que el positivismo se veía total o parcialmente afectado por otras orientaciones del pensamiento de la época, a las que también modificaba. Particular interés ofrece su confluencia con el socialismo, ya que conjuró la amenaza revolucionaria, confiando la liberación del obrero a la educación que había de incorporarlo al progreso. Esa conjunción permitió al argentino Juan Bautista Justo (1865-1928), fundador en 1895 del Partido Socialista Obrero Internacional (luego Partido Socialista Argentino), superar al planteamiento del problema nacional en función del conflicto entre civilización y barbarie, al descubrir el que enfrentaba a opresores y oprimidos. De un lado quedarían las glorias burguesas de quienes hicieron la independencia y luego procuraron ante todo defender sus intereses y conservar sus privilegios. Del otro los gauchos, que —como ahora los obreros, nativos o inmigrantes— se transforman en campesinos rebeldes, inevitablemente derrotados en su momento por la burguesía. Ese fracaso muestra una faceta positiva: permitió el desarrollo de la nueva sociedad y de esos mismos planteamientos novedosos.

Tal vez la última gran figura de ese pensamiento hispanoamericano enraizado en el XIX fue el argentino José Ingenieros (1877-1925), y de la variedad de los temas que abordó dan buena cuenta sus numerosos ensayos: le pertenecen, entre otros, los titulados *La simulación en la lucha por la vida* (1903), *Psicología genética* (1911), *Sociología argentina* (1913), *Criminología* (1913), *El hombre mediocre* (1913), *Hacia una moral sin dogmas* (1917), *Proposiciones relativas al porvenir de la filosofía* (1918), *Apuntes de psicología* (1920) y *Los tiempos nuevos* (1921). *El hombre mediocre* fue quizá su obra más importante de psicología social, y en ella se ocupó del hombre moldeado por el medio, sin individualidad ni ideales. Se consideraba socialista —fue secretario del Partido fundado por Juan B. Justo—, y alguna vez resaltó la importancia de los factores económicos, cuyos procesos entendía como manifestaciones evolucionadas de fenómenos biológicos: la lucha de clases se convertiría así en una de las manifestaciones de la lucha por la vida. No obstante, aún concedía —sobre todo en *Sociología argentina*, edición ampliada de un libro anterior titulado *El determinismo económico en la evolución americana* (1901)— un papel decisivo a la raza y a la evolución del organismo social, creía en la indiscutible superioridad del hombre blanco, suponía que las razas inferiores terminarían por desaparecer. En consecuencia, y al menos durante algún tiempo, el biologismo social de Ingenieros comparte el racismo de una época que exterminó a los indígenas y encontró justificaciones científicas para ese exterminio. Así se contribuía a una «evolución» que parecía constituir, como antes para Alberdi o Sarmiento, la esperanza para Argentina, el país mejor dotado de Latinoamérica para emular a los Estados Unidos y emprender el camino del imperialismo.

7. LA REACCIÓN ESPIRITUALISTA

La fe en la ciencia y el progreso nunca fue bien recibida por todos. Desde luego, pronto afrontó los ataques de la Iglesia y de cuantos veían en la instauración de la nueva mentalidad una amenaza para las creencias religiosas, apenas cuestionadas hasta la irrupción del positivismo, pues el pensamiento ilustrado hispanoamericano casi siempre había procurado limitar su actuación al ámbito de los conocimientos «humanos». Pero la oposición no corrió exclusivamente a cargo del tradicionalismo católico, con su defensa del espíritu y de los intereses del clero: sus manifestaciones fueron múltiples, y las más interesantes prueban que el orden positivista estaba ligado a transformaciones indudables de la sociedad latinoamericana, y que no eran pocos los que encontraban dificultades para aceptarlas. El rechazo del nuevo orden se advierte hasta en la publicación abundante de «memorias», que no sólo eran consecuencia de un supuesto individualismo romántico o de un inusitado interés por el pasado: esos escritos muestran con frecuencia la nostalgia de otras épocas, confrontadas con un presente en cierta medida insatisfactorio. Algunos merecen mención, por su calidad o por la relevancia de sus autores, como los *Recuerdos literarios* en que Lastarria dejó el testimonio de su intransigencia liberal, de su fe en la enseñanza y en la superación por el estudio y el trabajo, o *La bohemia de mi tiempo* (1887), del peruano Ricardo Palma (1833-1919), o las póstumas *Memorias de mis tiempos* (1906), donde Guillermo Prieto se refirió a un período lejano que limitan los años 1828 y 1833. Entre los cultivadores del género destaca tal vez el chileno Vicente Pérez Rosales (1807-1886), cuyos *Recuerdos del pasado* (1882; edición definitiva de 1886) han sido elogiados por su interés costumbrista e histórico y por la calidad de su estilo. Otros aspectos son también dignos de atención: Pérez Rosales, un destacado constructor del país —liberal y positivista, fomentó activamente la inmigración europea y cuanto pudiese contribuir al progreso—, no dejó de advertir con preocupación el mercantilismo y la deshumanización que dominaban la vida en los poderosos Estados Unidos, el modelo preferido por los países hispanoamericanos. Inquietudes nacionalistas determinaban esa actitud, sin duda, pero importan ante todo sus consecuencias: frente a unos nuevos bárbaros del norte, se empieza a tomar partido por lo latino y lo hispánico. Desde esa perspectiva, el progreso alcanzado en el presente se percibe como una superación de las deficiencias de antaño, pero también como un alejamiento de los valores auténticos de una sociedad primitiva pero viril y solidaria, desplazados por el materialismo egoísta e inmoral de los nuevos tiempos. De eso hablan, con nostalgia, los *Recuerdos del pasado*. No sólo la juventud se ha perdido.

A ese respecto es también significativo el caso de Argentina, donde el interés por el pasado se tradujo en trabajos historiográficos tan notables como *Historia de la República Argentina* (1883-1893), de Vicente Fidel López (un miembro de la ya lejana Asociación de Mayo), o la *Historia de San Martín* (1887-1890), de Bartolomé Mitre (1821-1906), otro antiguo antirrosista que llegó a ocupar la presidencia del país de 1862 a 1868. Sus diferencias de opinión, que dieron lugar a prolongadas polémicas entre ambos, enriquecen la contribución común a la configuración de lo nacional, al reconocimiento de lo propio a través del proceso que ha llevado a un presente caracterizado por la prosperidad y por el orden social. La misión que Echeverría y los suyos se habían asignado parecía cumplida, pero en ella se habían gastado los años, y su reconstrucción histórica significa también una recuperación idealizadora de tiempos heroicos perdidos, ocupados en conquistar el futuro. Curiosamente, esa actitud no sólo se advierte entre los que ofrecen la justificación de la edad: se advierte también entre quienes parecen los beneficiarios principales de la avanzada civilización conseguida, como los miembros de la llamada «Generación del 80». A ella pertenecen algunos prosistas notables, como Lucio Victorio Mansilla (1831-1913), Eduardo Wilde (1844-1913) o Miguel Cané (1851-1905).

Mansilla, militar y político, tenía tras de sí una amplia labor periodística y algún libro de viajes —*De Adén a Suez* (1855)—

cuando en 1870, en el diario *La Tribuna*, dio a conocer las cartas que habían de constituir *Una excursión a los indios ranqueles*, relato de las experiencias vividas en territorio indígena, al que había viajado en una expedición pacificadora. Sus alabadas descripciones de los indios y de sus costumbres muestran una actitud conciliadora que no era la característica de los civilizadores del momento, y eso equivalía a optar por soluciones distintas en la construcción del país: éste había de ser la patria de todos, también de los aborígenes. De su personal visión de la historia argentina dio cuenta también en *Rosas, ensayo histórico-psicológico* (1898), una biografía del famoso dictador y tío suyo, y en los testimonios de su propia vida que constituyen *Retratos y recuerdos* (1894) y *Mis memorias (infancia y adolescencia)* (1904). Y un gran interés ofrece *Entre-nos: «causeries» del jueves* (1889-1890), excelente muestra de una literatura que pretendía reproducir el lenguaje de la conversación elegante, de las confidencias entre iguales que caracterizó a la aristocracia criolla de la época. También Wilde se dedicó a la política y el periodismo, ocupaciones que conjugó con la práctica de la medicina y el ejercicio de la literatura, que le debe aportaciones diversas: entre otras, las cartas y apuntes reunidos en *Viajes y observaciones* (1894) y *Por mares y por tierras* (1899), y el relato autobiográfico inconcluso y póstumo que tituló *Aguas abajo* (1914). Y en cuanto a Cané, autor de varios libros relacionables con su experiencia de diplomático y de profesor —entre ellos se cuentan *Ensayos* (1877), *En viaje, 1881-1882* (1884), *Charlas literarias* (1885), *Notas e impresiones* (1901) y los póstumos *Discursos y conferencias* (1919)—, destacó sobre todo con otra narración autobiográfica: *Juvenilia* (1884). En ella recordó su época de estudiante, y en consecuencia los tiempos en que se ponía en marcha el proyecto que determinaría la grandeza presente de su país. El conjunto del libro poco tiene que ver con aquella fe en la ciencia y en el progreso humano: lo que domina es la evocación nostálgica de la infancia y la adolescencia, y la pretensión de recobrar una Argentina patriarcal y tal vez perdida para siempre.

Esta impresión es la que puede extraerse de la mayor parte de los libros mencionados. Las experiencias narradas son personales y diversas, pero sus autores siempre se sienten protagonistas de un presente de progreso al que ellos y sus familias han contribuido como nadie: eran la Europa trasplantada a América, y hacía ostentación de esa civilización, como se manifiesta por entonces en la «distinción» —a menudo francesa o afrancesada— que determina la elección de vestidos, viviendas, comidas o lecturas. Y, sin embargo, ese presente que arraiga en el pasado no se proyecta con claridad hacia el futuro, como había ocurrido desde los tiempos de la independencia. Las transformaciones sociales, que afectan sobre todo a un ámbito urbano ahora saturado de inmigrantes, parecen no satisfacer a quienes han detentado y aún detentan el poder, el dinero y la cultura, pero ven un peligro en la fluctuación de las fortunas que ha llegado con el orden nuevo. Así se produce paulatinamente la valoración positiva de lo campesino o rural, la idealización de la Argentina perdida en la que eran posibles las gestas heroicas de militares y gauchos. La infancia y la familia tienen que ver con ese pasado, y con el presente ha de relacionarse el escepticismo que se ha atribuido a los miembros de esa generación: fue una forma de desencanto, que no sólo afectó a cuestiones religiosas —la del 80 fue una generación de descreídos, lo que ha podido interpretarse como una consecuencia de la difusión del ideario positivista—, sino también y sobre todo a la visión del mundo contemporáneo y a las consecuencias del desarrollo reciente. Sin duda se siente la amenaza que los cambios suponen para la antigua jerarquización social, y eso explica de algún modo la conciliación del orden y del progreso con los intereses de la oligarquía que a menudo supuso el positivismo hispanoamericano: mientras se luchó por la modernización, se entendió que el orden había de conducir a la libertad, al menos en un futuro indeterminado, y se halló en los Estados Unidos el modelo por excelencia; por el contrario, quienes pudieron disfrutar de los resultados de aquel esfuerzo, como los miembros de la generación argentina del 80, parecen poco dispuestos a prescindir de sus privilegios y buscan en Europa modelos «aristocráticos» asimilables por las oligarquías locales.

La actitud del escritor guarda una estrecha relación con esas circunstancias, que afectaron profundamente a la significación social de la literatura: en el nuevo orden el oficio de escribir era en buena medida superfluo, y apenas encontraba refugio en un ambiente urbano dominado por los burócratas de una administración preocupada por la eficacia. La estabilidad parece tener como consecuencia la monotonía del Club del Progreso y de otros círculos selectos de la cosmopolita Buenos Aires, y el escritor, desposeído del protagonismo de antaño, se resigna a participar del buen gusto que marca ahora las diferencias sociales. Ese buen gusto también es una adquisición sólo al alcance de los mejor dotados, de ese sector de la población argentina que se asigna la misión de difundir el arte y disfrutar de la belleza. Tal actitud determina el desarrollo de una literatura menor y elegante, con aires de tertulia de salón, una literatura refinada que muestra, frecuentemente por medio del humor, el desencanto de los ideales alcanzados, transformados en una realidad cotidiana y tal vez aburrida. En consecuencia, las exigencias «estéticas» se convierten en una garantía de pertenecer a una clase superior, y a la vez son una crítica de los logros del progreso, una manifestación de desconfianza frente a ese futuro que las transformaciones sociales recientes han hecho incierto.

En esta compleja atmósfera se insertan los escritores tradicionalmente adscritos al modernismo. Entre ellos, no sin discusión, se cuenta el cubano José Martí (1853-1895), un testigo excepcionalmente lúcido de la crisis que se acentuó a medida que se acercaba el fin de siglo. En crónicas, cartas, discursos y otros breves ejercicios en prosa, dejó reflexiones sobre temas muy variados. Con la lucha por la independencia de su país se relacionan buena parte de esos escritos, desde *El presidio político en Cuba* (1871) y *La República española ante la Revolución cubana* (1873), folletos tempranos que publicó cuando se encontraba deportado en la metrópoli, hasta el Diario de campaña de 1895, en el que reflejó las preocupaciones de esos días ya próximos a su muerte en enfrentamiento con tropas españolas. Esas circunstancias determinaron el infatigable antiimperialismo de Martí, pronto consciente también del peligro que los Estados Unidos significaban para la América española. Desde luego, no dejó de advertir las ventajas de la civilización europea o norteamericana, abierta a formas renovadoras, ni ignoró la rémora que significaba la herencia colonial. Tampoco dejó de manifestarse contra las fórmulas de inspiración extranjera implantadas en los países hispanoamericanos, e insistió en la necesidad de conocer la realidad y la historia propias, de gobernar desde aquellos países y para aquellos países. En muchos aspectos, en consecuencia, recuerda a cuantos trataron de dirigir a las nuevas repúblicas hacia el futuro. Él tenía que empezar por el principio, por conseguir la independencia para Cuba, de modo que su patria pudiera incorporarse a un proceso general orientado a superar la postración del mundo hispanoamericano. Eso hizo de él un regeneracionista próximo a Varona, a Hostos, a cuantos lucharon entonces por la libertad, la verdad, la civilización y el futuro, seguros de que la educación podía permitir el progreso, y de que era necesaria la adopción de nuevas ideas que superasen las limitaciones de la tradición. Martí luchó sin descanso por llevar ese mensaje a todo el mundo hispanoamericano, y especialmente a partir de 1881, cuando colaboró en periódicos de difusión notable, como *La Nación* de Buenos Aires, o *El Partido Liberal* de México, o *La Opinión Nacional* de Caracas, entre otros. Se había puesto del lado de «Nuestra América» —ese fue el título de un artículo fundamental, de 1891—, con sus enfermedades y sus muchas deficiencias. La conocía bien, tras haber vivido en Cuba, en México, en Guatemala, en Venezuela. Su culto a la unidad y la solidaridad del hombre exigía esa actitud: «No hay odio de razas, porque no hay razas» (1977: 32), dictaminó, convencido de que indios y negros habrían de echar a andar para que Hispanoamérica avanzase. Así se ponía también al lado de los desheredados de la tierra.

Esa voluntad de asumir con orgullo la pertenencia a las «dolorosas» repúblicas hispanoamericanas tal vez no sea nueva, pero en nadie resulta tan clara como en Martí, que abrió perspectivas inéditas para el análisis de la identidad propia: «No hay batalla entre la civilización y la barbarie —advirtió—, sino entre la falsa erudición y la naturaleza» (1977: 28). Entendió que era necesario distinguir «la vida pegadiza y posadquirida» de «la espontánea y prenatural», y se manifestó contra las muchas convenciones —«las filosofías, las religiones, las pasiones de los padres, los sistemas políticos»— que hacían de la tierra «una vasta morada de enmascarados» (1978: 211). Había que dejar en libertad a las naturalezas vírgenes, relacionables con una existencia verdadera, profunda e invisible. Así se empezaba a configurar la visión de una América auténtica, oculta tras los inútiles esfuerzos europeizadores de las últimas décadas. Aunque Martí aún declara su fe en el progreso, esa actitud demuestra sus preferencias por una dimensión esencial, ajena a las transformaciones y por tanto a la historia. De ese lado quedan los hombres americanos: los indios y mestizos, y desde luego los negros, en cuya raza alguna vez vio un modelo de armonía con la naturaleza.

En tales planteamientos pueden detectarse ecos del pensamiento krausista, que Martí conoció desde los tiempos de su primer destierro en España, entre 1871 y 1874. Con ese «racionalismo armónico», con su fe en la educación y su defensa de una espiritualidad laica, cabe relacionar la convicción de que un orden secreto queda más allá del caos aparente. El escritor cubano nunca separó sus inquietudes cívicas y políticas de sus preocupaciones estéticas, de modo que estas últimas se ven profundamente condicionadas por su identificación de la belleza con la verdad y el bien. Desde luego, abogó por la creación de una expresión literaria hispanoamericana, que relacionó con la construcción de una Hispanoamérica libre y verdadera, pero a la vez se mostró atento a las aportaciones de otras culturas, convencido de que conocer varias literaturas equivalía a liberarse de la dependencia de una sola. Muy consciente de las novedades que deparaba el fin de siglo, supeditó su evidente voluntad de estilo al logro de la eficacia y de la exactitud, tratando de adecuar la palabra a la idea, y la idea a la naturalidad y a la naturaleza. También en este caso coincidían ética y estética. La imitación de la Naturaleza equivalía a desprenderse de la retórica, y lo natural terminaba por identificarse con lo esencial, en la realidad y en la literatura. Se trataba de lograr una expresión apta para captar la armonía cósmica, para acercarse al Espíritu Universal en que toda contradicción se resuelve.

Esa voluntad le permitió superar la excesiva retórica de sus primeros escritos para exhibir pronto una prosa artística depurada, barroca en *Guatemala* (1878), rítmica y cromática en los años ochenta, sobria y precisa al final de sus días. Paralelamente, Martí esbozó una teoría literaria renovadora para el mundo de habla castellana: al parecer a él se deben, a partir de 1875, las primeras consideraciones teóricas sobre la sinestesia y sobre la suprema condición artística de la música, por su vaguedad o capacidad de sugerencia. La novedad de su estilo derivaba de los procedimientos empleados para que el lenguaje compitiese con la pintura y con la música. Del lado de las manifestaciones artísticas quedaba la dimensión de lo sublime, lo inmedible, lo vago, todo aquello que resultaba indescifrable a la ciencia. Esos planteamientos mostraban una relación profunda entre la renovación literaria y las inquietudes espirituales del fin de siglo.

En efecto, esas preocupaciones estéticas eran inseparables de la voluntad antes señalada de conseguir un hombre armónico o de recuperar las raíces perdidas. Eran la respuesta a la sensación de hallarse en un tiempo de crisis o de desconcierto, y a ese respecto nada más significativo que «El *Poema del Niágara*» (1882), comentario a ese célebre poema del venezolano Juan Antonio Pérez Bonalde (1846-1892). Con insistencia, Martí se refirió allí a los «ruines» tiempos presentes, ganados por la obsesión de la riqueza y ajenos a las grandezas del espíritu. En una época de transformaciones espléndidas —que, desde luego, creía positivas—, advirtió que el cambio «de estados, fe y gobierno» era también ocasión de tumultos y de dolores: «Nadie tiene hoy su fe segura. Los mismos que lo creen, se engañan. Los mismos que escriben fe se muerden, acosados de hermosas fieras interiores, los puños con que escriben. No hay pintor que acierte a colorear con la novedad y transparencia de otros tiempos la aureola luminosa de las vírgenes, ni cantor religioso o predicador que ponga unción y voz segura en sus estrofas y anatemas. Todos son soldados del ejército en marcha. A todos besó la misma maga. En todos está hirviendo la sangre nueva. Aunque se despedacen las entrañas, en su rincón más callado están, airadas y hambrientas, la Intranquilidad, la Inseguridad, la Vaga Esperanza, la Visión Secreta...» (1978: 207). Esos ruines tiempos lo eran en especial para los poetas, «creyentes fogosos, hambrientos de ternura, devoradores de amor, mal hechos a los pies y a los terruños, henchidos de recuerdos de nubes y de alas, buscadores de sus alas rotas» (1978: 106). Desde luego, Martí se definió por quienes mostraban una naturaleza sana y vigorosa, pero en 1882 había acertado a explicar que en esa situación podían buscarse distintas salidas y que los poetas podían ser «pálidos y gemebundos», atormentados y dolorosos, incluso desmayados y ridículos.

Entre los escritores hispanoamericanos de la época, no pocos parecieron optar por esta segunda actitud. A diferencia de Martí, que había visto en su época un positivo acercamiento de la cultura a las masas —«el hombre pierde en beneficio de los hombres» (1978: 208)—, se sintieron inmersos en un tiempo degradado, desterrados de Francia o del Paraíso. Sus inquietudes se plasmaron sobre todo en la poesía, pero también en otros géneros, y no es el de menor interés la crónica, casi siempre relacionada con el periodismo y manifestación excelente de la literatura modernista, incluso en lo que tenía de expresión de una época precariamente instalada en lo efímero. En sus concreciones más novedosas, se trataba de un crónica más recreativa que informativa, semejante a la que se había desarrollado en la Francia represiva del Segundo Imperio. No es de extrañar, en consecuencia, que se adecuase con perfección a las circunstancias de México, donde el régimen porfirista de orden y progreso dejaba escaso margen para la libertad de opinión, o de Cuba, aún bajo el dominio español. Quizá por eso destacaron en ella el mexicano Manuel Gutiérrez Nájera (1859-1895) y el cubano Julián del Casal (1863-1893). Ambos eran excelentes poetas, y ese particular ejercicio del periodismo les permitía sobrevivir sin renunciar por completo a la literatura. A Gutiérrez Nájera se atribuye la introducción en Hispanoamérica de la nueva crónica, y nadie respondió mejor a sus peculiaridades: las referencias a los problemas sociales del país, o la ironía con que cuestionó los comportamientos políticos al uso, no dotan de una ideología precisa a sus crónicas y artículos, casi siempre ligeros, mundanos, afectadamente frívolos, próximos al cuento y al poema en prosa, deliberadamente literarios en cuanto constituían minuciosos ejercicios de estilo. También Julián del Casal, que alguna vez se vio ante los tribunales por referirse a las autoridades coloniales sin el respeto debido —en «El general Sabas Marín y su familia» (1888)—, optó por la crónica de sociedad, o por los temas literarios y artísticos. Eso no le impidió dejar testimonio de sus meditaciones cada vez más sombrías, relacionadas con la «tristeza fin de siglo», con el clima contradictorio y decadente de una civilización enferma, ganada por la incertidumbre y por la desconfianza en el progreso de la ciencia. Liberada de sus limitaciones periodísticas, la crónica se convertía en una manifestación más de un arte convertido en refugio contra los males contemporáneos.

La crónica modernista facilitó también el ejercicio del periodismo a quienes encontraron en él una posibilidad de ganarse la vida lejos de su patria, a veces en Europa. Ese fue el caso del nicaragüense Rubén Darío (1867-1916), que dejó en la prensa de varios países una obra en prosa de singular interés y que él mismo recogió parcialmente en volúmenes diversos. El primero fundamental fue el titulado *Los raros* (1896), donde reunió diecinueve «semblanzas» —en la edición de 1905 incluiría dos más— de personalidades artísticas, escritores casi todos, que por diversas razones le había interesado. Entre ellos figuraban algunos poetas franceses y decadentes, y había lugar también para quienes, como Ibsen y Martí, nada tenían que ver con una supuesta degeneración de la literatura reciente. En consecuencia, aunque algunos dejasen entrever oscuros secretos, es evidente que los «raros» no respondían a una unánime condición perversa: eran los maltratados por el infortunio o por la incomprensión de un ambiente mediocre, los que habían detestado el presente infausto que les había correspondido y habían añorado un orden perdido u oculto. El libro equivalía a la proclamación de una estética, y también constituía una reacción frente a los valores burgueses o materialistas dominantes, la expresión del malestar que acarreó la modernidad. Darío, sensible como pocos a los designios de su época, supo relacionar ese malestar personal, que era el de muchos, con un presente amenazado por las fuerzas de la materia, radicadas sobre todo en los Estados Unidos, cuyo progreso —Edgar Allan Poe fue el pretexto para esas consideraciones— se contemplaba una vez más con admiración y temor.

La victoria norteamericana sobre España, en 1898, confirmó esas previsiones fatalistas, e hizo de la derrota española un triunfo de los tiempos modernos o de los enemigos del espíritu y del ideal, del ensueño y del Arte. Rubén fue de los primeros en protestar «por la agresión del *yanquee* contra la hidalga y hoy agraviada España», en recordar las humillaciones sufridas por otros pueblos hispanos (por México, por las repúblicas centroamericanas, por Colombia), en hacer votos por el porvenir de la raza, en lamentar «el triunfo de Calibán». Sería también de los primeros en estudiar las causas de la decadencia, en cuanto el periódico *La Nación* lo envió a Europa como su corresponsal. En *España Contemporánea. Crónicas y retratos literarios* (1901) queda espléndida constancia de su preocupación y de su sorpresa ante el crepúsculo de un país incapaz de advertir las dimensiones del fracaso, y también el testimonio de su progresiva idealización del pasado glorioso y de sus esperanzas en la regeneración, avaladas por los triunfos de antaño. Al relacionar la decadencia con el estancamiento cultural, la renovación literaria que él apadrinaba adquiría un nuevo significado: la difusión del modernismo y la regeneración del país se convirtieron en un único programa.

En *Peregrinaciones* (1901) reunió Rubén las crónicas escritas cuando viajó a Francia en 1900, a propósito de la Exposición Universal de París, y sus impresiones de un viaje a Italia. Significativamente, las preocupaciones morales que habían guiado sus reflexiones sobre España se proyectan ahora sobre una realidad que en nada se parece a cuanto había soñado. El entusiasmo por las realizaciones contemporáneas de la ciencia y de la técnica no disimulan la sensación de hallarse en una época de desesperanza, nostálgico de los tiempos en que había lugar para los grandes ideales. También en Francia parecían imponerse el materialismo, la degradación de los valores morales, la injusticia que permitía la proliferación de los desheredados. El mundo parecía bailar al borde del abismo, dispuesto sin entusiasmo a interpretar su farsa hasta la catástrofe próxima, y Rubén se hizo eco de esa atmósfera a la vez que trataba de alentar la formación de una conciencia hispanoamericana y de fortalecer su fe en el porvenir de la raza. De esas inquietudes y de otras dejó constancia luego en *La caravana pasa* (1902), *Tierras solares* (1904), *Opiniones* (1906), *Parisiana* (1907), *Viaje a Nicaragua e Intermezzo tropical* (1909), *Letras* (1911) y *Todo al vuelo* (1912), libros de crónicas de inspiración muy variada, a los que hay que añadir algún otro de carácter decididamente autobiográfico, como *La vida de Rubén Darío escrita por él mismo* (1912). La calidad excepcional de su obra poética relegó esa abundante producción a un segundo término, cuando no al olvido.

El gualtemalteco Enrique Gómez Carrillo (1873-1927) no tuvo ese problema, y se convirtió en representante por excelencia de la crónica modernista. Hizo méritos para ello: *Esquisses* (1892), *Sensaciones de arte* (1903), *Literaturas extranjeras* (1894), *El modernismo* (1905), *De Marsella a Tokio* (1906), *La Rusia actual* (1906), *La Grecia eterna* (1908), *El Japón heroico y galante* (1912), *La sonrisa de la esfinge. Sensaciones de Egipto* (1913), *Campos de batalla y campos de ruinas* (1915) y *Literaturas exóticas* (1920) son apenas algunos de los volúmenes en que recogió una producción periodística incesante, dedicada a testimoniar las impresiones de sus viajes o a comentar acontecimientos políticos, artísticos y literarios. La había iniciado tempranamente en Guatemala —allí trabajó junto a Rubén Darío en *El Correo de la Tarde*, en 1890—, pero pronto se trasladó a Europa, e hizo de París el centro de sus actividades y del mundo. La capital francesa fue para Gómez Carrillo la modernidad, que trató de difundir en Hispanoamérica. Para eso adoptó una actitud frívola y mundana —contribuyó como nadie a que el modernismo se identificase con ella—, y enfrentó su condición cosmopolita al americanismo cada vez más acentuado de sus contemporáneos. Eso no le impidió conseguir una prosa de calidad notable, laboriosamente refinada, con la que ofrecer al mundo hispánico una información extraordinariamente rica. Sus crónicas, en efecto, constituyen un excepcional testimonio de su época.

De la complejidad de las corrientes intelectuales que caracterizaron el cambio de siglo, ningún testimonio ensayístico es más profundo que el constituido por los escritos de José Enrique Rodó (1871-1917), uno de los miembros más destacados de la generación uruguaya de 1900. Entendió que en «la sensibilidad y la inteligencia del contemplador» radican las virtudes del crítico (Rodó, 1967: 964), y a demostrarlo dedicó en buena parte su vida, desde que en 1895 participó en la fundación de la *Revista Nacional de Literatura y Ciencias Sociales*. La crítica no era para él una mera manifestación de juicios, sino el más vasto y complejo de los géneros literarios, «rico museo de la inteligencia y de la sensibilidad, donde, a favor de la amplitud ilimitada de que no disponen los géneros sujetos a una arquitectura retórica, se confunden el arte del historiador, la observación del psicólogo, la doctrina del sabio, la imaginación del novelista, el subjetivismo del poeta» (1967: 642). Esa fue la crítica que trató de ejercer, caracterizada por la tolerancia del criterio y la flexibilidad del gusto, ajena por tanto a los criterios rigurosos de cualquier escuela. De sus trabajos, alcanzó especial repercusión uno de los primeros, el titulado *Rubén Darío. Su personalidad literaria. Su última obra* (1899): allí consiguió el primer análisis profundo de *Prosas profanas*, decidió para las generaciones futuras que Darío no era el poeta de América, y dio al nicaragüense y a sí mismo un lugar en las encontradas inquietudes de la hora: «Yo soy un "modernista" también —afirmaba—; yo pertenezco con toda mi alma a la gran reacción que da carácter y sentido a la evolución del pensamiento en las postrimerías de este siglo; a la reacción que, partiendo del naturalismo literario y del positivismo filosófico, los conduce, sin desvirtuarlos en lo que tienen de fecundos, a disolverse en concepciones más altas» (1967: 191). Ese enraizamiento en los aspectos positivos del pensamiento decimonónico parece marcar sus distancias con Darío, aunque ese «gran poeta exquisito» fuese, en el arte, «una de las formas personales de nuestro anárquico idealismo contemporáneo». Rodó quería un arte que hiciese pensar y sentir, y, porque encontraba que el final del siglo XIX estaba pleno de incertidumbres morales, de extrañas y angustiosas vacilaciones (la obra de Rubén parecía confirmarlo), se inclinó por un espiritualismo o idealismo que significase una regeneración moral, y su definición fue lo que fundamentalmente le preocupó, tanto al escribir sobre literatura como al abordar cualquier otro aspecto relacionado con el presente y con el futuro inmediato. Precisamente, *La vida nueva* fue el título común que pretendió para los breves ensayos cuya publicación inició en 1897 con «El que vendrá» —el hombre o escritor representativo de ese tiempo, el profeta del renovador espíritu que anuncian los presagios del momento— y con «La novela nueva», donde reflexionaba sobre las corrientes novelescas que trataban de desplazar al naturalismo.

Ningún escrito de Rodó alcanzó tanta repercusión como el último de los opúsculos de *La vida nueva* (serie a la que pertenece también el folleto dedicado a Rubén Darío): el «sermón laico» que tituló *Ariel* (1900), y que dedicó «a la juventud de América». Las circunstancias hicieron que los lectores prestasen atención especial a su visión de los Estados Unidos como imperio de la materia o reino de Calibán, donde el utilitarismo habría afectado negativamente a los valores espirituales y morales. Esos planteamientos no eran nuevos —habrán podido advertirse en Martí y en Darío, y no es difícil encontrar los antecedentes europeos de esa simbología shakespeariana, derivada de los personajes de *La tempestad*: Calibán, Ariel, Próspero—, pero la versión de Rodó fue la que encontró un eco definitivo. Desde luego, el pensador uruguayo no se limitaba a criticar valores ajenos: pretendía evitar que un modelo foráneo determinase el futuro de Iberoamérica, ignorante una vez más de su verdadera tradición, que era la tradición latina. Pero resultó más atractiva la visión de un mundo contemporáneo en el que se enfrentaban el espíritu y la materia —se trataba de un visión muy compartida, como ya ha quedado de manifiesto—, y donde el intelectual hispanoamericano encontraba una función precisa que desempeñar, en relación con los valores relativos a la ciencia, al progreso y a la democracia. Rodó no era de los que añoraban un pasado «heroico»: el presente es lo que preocupa al viejo y venerado maestro de su ensayo cuando despide a sus discípulos. Su discurso sobre los valores que Ariel representa —la parte noble y alada del espíritu, el imperio de la razón y del sentimiento, el entusiasmo generoso, el móvil alto y desinteresado en la acción, la espiritualidad de la cultura, la vivacidad y la gracia de la inteligencia, el término ideal al que asciende la selección humana— es una exhortación a los jóvenes para que cultiven esos valores propios del hombre superior, en perjuicio de los «tenaces vestigios» de Calibán, el símbolo de la sensualidad, de la torpeza o de los estímulos irracionales. Se trataba de otro mensaje regeneracionista, destinado a conjurar los peligros de un tiempo de decadencia y de decadentes, fruto del hastío materialista del fin de siglo. Así se manifestaba el compromiso de Rodó con un renacimiento idealista, con una recuperación del entusiasmo y de la fe en el porvenir. Al respecto, recordó que la perfección inigualada de la vida en Atenas derivaba de que se había logrado el concierto de todas las facultades humanas —«el sentido de lo ideal y el de lo real, la razón y el instinto, las fuerzas del espíritu y las del cuerpo» (Rodó, 1976: 12)—, y aconsejaba la educación integral del espíritu, capaz de conciliar el idealismo con los avances científicos, el amor desinteresado de lo bello y lo verdadero con el utilitarismo que amenazaba con dominar a la sociedad del momento. Eso quiere decir que nunca adoptó actitudes radicales: frente al irracionalismo de quienes proclamaban la bancarrota de la ciencia, optó por una solución respetuosa con las adquisiciones del siglo XIX. Así podría nacer el nuevo idealismo, de la mano de espíritus superiores, de una auténtica aristocracia espiritual cuya selección habrían garantizado las libertades democráticas tras haber terminado con las desigualdades injustas de la sociedad.

El éxito de *Ariel* no había de repetirse con los escritos posteriores de Rodó. De 1906 es el opúsculo *Liberalismo y jacobinismo,* un alegato contra la incomprensión y la intolerancia, y cuando en 1909 se decide a publicar *Motivos de Proteo,* el eco que despierta es escaso. Eso no disminuye el interés de esa digresión continua que constituye el libro, y que se convierte en una prolongada reflexión sobre la época: sobre la circunstancia que rodea al creador intelectual, sobre las inquietudes del hombre moderno, sobre la personalidad humana que evoluciona con el paso del tiempo. En 1913 Rodó publica *El mirador de Próspero,* una recopilación de artículos que muestra bien la variedad de sus preocupaciones, y en 1918 aparece *El camino de Paros (meditaciones y andanzas),* otra colección de prosas breves entre las que figuran las relacionadas con el viaje a Europa, y en particular a Italia, que ocupó sus últimos días: impresiones de lugares y gentes, redactadas a fines de 1916 y principios de 1917. Entre los textos de esa última colección, alguno quizá merece un comentario: en el titulado «La tradición de los pueblos americanos» examinaba las razones de la inexistencia de tradición en Hispanoamérica —o en los países que conocía de cerca, pues centraba su atención en la ruptura con el pasado cultural que derivó de la independencia y luego en las consecuencias de una inmigración masiva—, y alentaba a conjugar las esperanzas de futuro y de progreso indefinido con el aprecio de la tradición, con el fin de que esos pueblos pudiesen consolidar alguna identidad colectiva. Esa idea es la que por entonces parece poner en marcha la búsqueda de la identidad a la manera contemporánea: los planteamientos de Echeverría sobre la emancipación mental han perdido vigencia, pues ahora se trata de conjugar lo que se es con lo que se desea ser, la aceptación del pasado con una visión esperanzada del futuro, con un verdadero culto del porvenir. Quizá en *Ariel* no se decía otra cosa.

Relacionables con esa reacción espiritualista, el cambio de siglo ofrece otros escritores destacados, como el venezolano Manuel Díaz Rodríguez (1871-1927), en quien dominan las impresiones melancólicas que caracterizaron con frecuencia al viajero modernista —en *Sensaciones de viaje* (1896) y *De mis romerías* (1898)—, y la búsqueda estética se convierte en una verdadera aventura espiritual: eso es lo que se deduce de sus *Sermones líricos* (1918), y antes y sobre todo de *Camino de perfección* (1908), donde el anticientificismo es inseparable de una actitud prohispánica cada vez más extendida. Sin la repercusión continental de Martí o de Rodó, también el colombiano Baldomero Sanín Cano (1861-1957) ejerció un verdadero magisterio, al menos en su país. Sólo muy tardíamente publicó los libros que recogían parcialmente sus escritos —*La civilización manual y otros ensayos* (1925) fue el primero, y tal vez merecen destacarse luego *Indagaciones e imágenes* (1926), *Crítica y arte* (1932), *Ensayos* (1942), *Letras colombianas* (1944) y sus memorias *De mi vida y otras vidas* (1949)—, pero desde fecha muy temprana se había servido de la prensa para defender los planteamientos liberales en política y para impulsar la renovación cultural y literaria. El modernismo nacional le debió en buena medida su existencia y sus peculiaridades. En aquellos tiempos se mostraba como un positivista dispuesto a estudiar con rigor las profundas relaciones de las obras literarias con las circunstancias en que se habían producido, confiado en la capacidad regeneradora de la educación y desde luego atento a los valores del espíritu. En la nueva literatura vio pronto una ruptura positiva con la tradición, y contribuyó decididamente a que arraigase en su país, difundiendo las obras de escritores extranjeros y valorando con inteligencia las aportaciones autóctonas. Por entonces Colombia se modernizaba rápidamente, y, cuando se presentó la ocasión, Sanín Cano no dudó en sumarse a la política de orden y de progreso. El tiempo y el exilio lo enriquecerían luego de escepticismo, que nunca le impidió mostrarse como un analista serio, y a la vez generoso, de la vida política y cultural colombiana.

De las preocupaciones regeneracionistas de la hora es buen

ejemplo el también colombiano Carlos Arturo Torres (1867-1911), que en *Idola fori* (1910) volvió a ocuparse de las supersticiones políticas de los pueblos hispanoamericanos y a criticar la adopción inútil de soluciones extrañas a la realidad propia. La amenaza norteamericana, más evidente que nunca tras la pérdida de Panamá en 1903, contribuía a que en Colombia el nacionalismo se acentuase a veces hasta la agresividad, y José María Vargas Vila (1860-1933) ofreció una muestra temprana de esa actitud en *Ante los bárbaros* (1902). Su liberalismo radical determinó también los numerosos escritos en los que comentó la vida política de Hispanoamérica y de su país, y tal vez no merecen el olvido algunos dedicados a los dictadores, como *Los providenciales* (1892) y *Los césares de la decadencia* (1907).

8. EN BUSCA DE LA IDENTIDAD AMERICANA

La protesta contra la agresividad de la política norteamericana fue a comienzos de siglo, como Rubén Darío acertó a resumir, un clamor continental, y su importancia para la formación de una conciencia latinoamericana no debe ignorarse. Un producto característico de ese clima fue el argentino Manuel Ugarte (1875-1951), quien, a la vez que escribía crónicas al gusto de la época y las reunía en volúmenes —en *Crónicas de bulevar* (1902), *Visiones de España* (1904), *Mujeres de París* (1904), *Burbujas de la vida* (1908), entre otros—, asumía una actitud antiimperialista en la que trataba de conciliar, no sin problemas, el internacionalismo socialista con un nacionalismo centrado en la lucha por la liberación de América Latina, concebida como una única patria. Alguna vez se ocupó en el análisis sociológico de sus males —en *Enfermedades sociales* (1906)—, pero su atención se centró especialmente en la elaboración de un proyecto cultural y político, explícito en la introducción a su antología *La joven literatura hispanoamericana* (1906), en *Las nuevas tendencias literarias* (1908) y sobre todo en *El porvenir de la América española* (1910), donde defendía la unificación de esa América mestiza, atrasada y fragmentaria, para hacer frente a la poderosa América anglosajona. El éxito extraordinario de este último libro lo animó a iniciar una gira continental, que duró años y lo convirtió en el defensor por excelencia de la causa latinoamericana común, contra la amenaza constante del imperialismo norteamericano. *Mi campaña hispanoamericana* (1922) da cuenta de ese esfuerzo, que aún se concretaría después en obras como *La Patria Grande* (1922), *El destino de un continente* (1923), *La salvación de nuestra América* (1930) y el póstumo *La reconstrucción de Hispanoamérica* (1961). En *El crimen de las máscaras* (1924) y *El dolor de escribir* (1932) se puede comprobar que en el cumplimiento de esa misión no faltaron momentos difíciles, pero Ugarte se mostró constante en su lucha hasta el fin de sus días.

Su mensaje encontró gran eco en todas partes, menos en Argentina. La crisis del proyecto liberal y positivista encontró allí otras formas de manifestarse, y un caso significativo es el de Leopoldo Lugones (1874-1938). Aun prescindiendo de títulos cuya mención aquí apenas se justifica —como *La reforma educacional* (1903) y *Didáctica* (1911)—, su obra «ensayística» supo conjugar intereses muy dispares, al menos en apariencia. Particular atención merecen trabajos como *El imperio jesuítico* (1904), donde analizó el régimen teocrático que los jesuitas instauraron durante la colonia en territorios de Paraguay y otros limítrofes, o su *Historia de Sarmiento* (1911), a quien por entonces admiraba, o *El payador* (1916), donde convirtió el poema *Martín Fierro* en la epopeya de los argentinos. Las preocupaciones nacionalistas que descubren esos escritos se conciliaban, curiosa y significativamente, con una excepcional atracción por la cultura griega, que se plasmó en *Prometeo* (1910), en *Las industrias de Atenas* (1919), en *Estudios helénicos* (1923) y *Nuevos estudios helénicos* (1928). Y no es menor el interés de los escritos directamente relacionados con la evolución política de Lugones, que había pasado del socialismo de su juventud a la defensa de la causa aliada durante la Primera Guerra Mundial —bien lo prueban los artículos periodísticos que reunió en *Mi beligerancia* (1917) y *La torre de Casandra* (1919)—, para terminar en pregonero de «la hora de la espada», como única solución para los males de su país. En *Acción* (1923), *La organización de la paz* (1925), *La patria fuerte* (1930), *La grande Argentina* (1930), *La política revolucionaria* (1931) y *El estado equitativo* (1932) queda el testimonio de su conversión a una fe totalitaria, también patente en *Roca* (1930), el inacabado trabajo histórico en que ese presidente, tan representativo de la Argentina del 80, sirvió de pretexto para la crítica del liberalismo y para la vindicación de la época de Rosas.

Como Lugones demuestra, el interés por la cultura clásica y

la actitud nacionalista no eran inconciliables. El arielismo había puesto de relieve, definitivamente, la voluntad de afirmar el ser latinoamericano sobre la tradición de Grecia y Roma, sobre la tradición del espíritu. Se trataba de conjurar el materialismo anglosajón, desde luego, pero de puertas adentro esa actitud constituía ante todo un rechazo de los planteamientos liberales y positivistas que habían impulsado el desarrollo mayor o menor de los países hispanoamericanos. La Argentina próspera y cosmopolita que en 1910 celebró el Centenario de su independencia ya muestra claramente los síntomas de aquella crisis que apenas se adivinaba en los escritores del 80, y que ahora se acentuará rápidamente. La variada actitud política de Lugones, como el socialismo latinoamericanista de Ugarte —y como el socialismo positivista de Ingenieros, hombre de esta misma generación—, muestra que el modelo político liberal ha dejado de considerarse satisfactorio, y que empiezan a proponerse otras soluciones, distintas y aun contradictorias. La recuperación del mundo clásico forma parte de la reacción contra el cientificismo —en buena medida se realiza en la órbita del modernismo—, y no es ajena a la pretensión de definir la identidad nacional. Como es lógico, esta pretensión se advierte aún con mayor claridad en la exaltación de lo que se considera propio: los productos literarios autóctonos, las tradiciones, los paisajes. La época registra una recuperación del historicismo romántico —muy diluido en el siglo XIX por la voluntad de progreso—, que lleva a asociar la identidad nacional con la exaltación del terruño, en la convicción de que el espíritu de la tierra determina el ser de cuanto sobre ella se asienta.

La obra de Lugones es un resultado complejo de estos planteamientos, que con matices personales comparten otros escritores argentinos del momento. El nacionalismo es sin duda más evidente en el caso de Manuel Gálvez (1882-1964), que en *El diario de Gabriel Quiroga* (1910), *El solar de la raza* (1913), *El espíritu de la aristocracia y otros ensayos* (1924) y *Este pueblo necesita...* (1934), entre otros escritos, planteó la necesidad de argentinizar el país, exaltó la tradición española y los valores del espíritu y de la fe religiosa, predicó el amor a la patria y al paisaje propio, y exhortó a volver la mirada hacia los territorios del interior, donde se mantendrían vivos los valores morales borrados en el litoral por la inmigración y el progreso. Y especial interés ofrece Ricardo Rojas (1882-1957), que en *La restauración nacionalista* (1909), *Blasón de plata* (1912) y *La argentinidad*

(1916), plasmó su voluntad de fomentar el culto de la tradición, para la formación de un espíritu nacional en ese pueblo nuevo, heterogéneo y cosmopolita, que era Argentina. Ese espíritu había de basarse en la existencia de una lengua común y de una tradición compartida, y en la solidaridad cívica de quienes habitaban un territorio determinado. La tierra se convertía en garante último de la identidad colectiva, pues Rojas llevó muy lejos la mística de las fuerzas telúricas: en *Eurindia* (1926) esas fuerzas garantizan la síntesis final de lo hispano y lo indígena que ha de constituir lo argentino. La nacionalidad, en consecuencia, es algo prefijado desde los orígenes, algo constante e indestructible que asimila a los europeos que llegan, americanizándolos. Esos criterios habían guiado la elaboración de su monumental *Historia de la literatura argentina* (1921), notable esfuerzo en la construcción de un pasado cultural propio, al que también trató de contribuir con *El santo de la espada* (1933) y *El profeta de la pampa* (1945), biografías del general San Martín y de Sarmiento, respectivamente. Como en el caso de Gálvez, el nacionalismo de Rojas implicaba una actitud regeneracionista que no vaciló en apelar a gobiernos fuertes y en acercarse al fascismo con tal de que los valores nacionales, los verdaderos y trascendentes, aflorasen para construir la futura grandeza de la patria.

Con una actitud política de coherencia muy discutible, el venezolano Rufino Blanco Fombona (1874-1944) prueba que en latitudes muy diversas las inquietudes eran similares. Entre sus numerosos escritos, algunos se ocuparon de cuestiones literarias, como *Letras y letrados de Hispanoamérica* (1908), *Grandes escritores de América* (1917), *El modernismo y los poetas modernistas* (1929) y *Motivos y letras de España* (1930); y otros de temas históricos, como *La evolución política y social de Hispanoamérica* (1911), *El conquistador español del siglo XVI* (1921) y varios dedicados a la personalidad de Simón Bolívar; y es también notable el interés de *Judas Capitolino* (1912), un alegato violento contra la «barbarocracia» del dictador Juan Vicente Gómez, o de *Camino de imperfección. Diario de mi vida (1906-1913)* (1933) y otros escritos autobiográficos, donde queda bien de manifiesto una personalidad vigorosa y apasionada, inclinada a la polémica y la violencia. Esa obra abundante muestra como pocas la evolución que llevó a las letras hispanoamericanas desde el cosmopolitismo modernista hasta la pretensión de descubrir o fundar una identidad propia, basada una vez más en la oposición al imperialismo anglosajón y en el descubrimiento de las raíces hispánicas, en la difusión de la cultura del continente y en la elaboración de su historia. La conquista española y la emancipación americana pertenecen por igual a un pasado que se asume con orgullo. El criollo encuentra en la península sus orígenes, la confirmación de un rancio abolengo del que se hace derivar una dignidad antes desconocida.

La exaltación de la latinidad, de lo español y de lo indígena, tuvo a algunos de sus más destacados representantes en Perú, donde el poeta José Santos Chocano (1875-1934) quiso ser muy pronto el cantor de América, «autóctono y salvaje». Entre los jóvenes intelectuales que asumen el protagonismo a comienzos del siglo, merecen mención al menos José de la Riva Agüero (1885-1944), cuyo nacionalismo se concretó sobre todo en investigaciones literarias y culturales —entre otras, las tituladas *Carácter de la literatura del Perú independiente* (1905) y *El Perú histórico y artístico* (1921), donde mostró sus preferencias por la tradición hispánica—, y los hermanos Francisco (1883-1953) y Ventura (1886-1959) García Calderón. Aunque Ventura fue también un escritor notable, como ensayista destacó especialmente Francisco, uno de los primeros intelectuales que diagnosticó la crisis del pensamiento positivista, doctrina que se habría degradado hasta convertirse en mera justificación del materialismo, del culto a la riqueza, del egoísmo. «Estamos en pleno renacimiento idealista», aseguró en una conferencia sobre «Las corrientes literarias en la América Latina» que dictó —en Heidelberg y en francés— en 1908, y que tuvo una notable difusión en los países hispanoamericanos. Desde su juventud se había sentido atraído por el nuevo espiritualismo francés —en Lima lo difundía Alejandro Deustúa (1849-1945), desde la Universidad de San Marcos—, y esa influencia y la de Rodó se advierten ya en los tempranos ensayos que reunión en *De litteris (crítica)* (1904). También él trató de conciliar utilitarismo e idealismo, y relacionó esa solución con el fin de los males que aquejaban a las repúblicas hispanoamericanas. Sus reflexiones se plasmaron en *Hombres e ideas de nuestro tiempo* (1907), *Le Pérou contemporain: étude social* (1907), *Profesores de idealismo* (1909), *Les démocraties latines de l'Amérique* (1912) y *La creación de un continente* (1913). El futuro de los países latinoamericanos dependería de la armonización de una realidad étnica compleja, basada una vez más en una cultura y en un paisaje compartidos. Una aristocracia de la inteligencia habría de conducir a las masas hacia ese ideal, y de ahí a la defensa o justificación de los gobiernos autoritarios no había más que un paso. García Calderón lo dio, como tantos otros intelectuales en ese momento. Al cabo, las democracias latinoamericanas no podían ajustarse al modelo de la América anglosajona, el enemigo poderoso que había que combatir. En esa rivalidad se apoyó también el latinoamericanismo de García Calderón, sólo por algún tiempo, pues su actitud antinorteamericana se diluyó cuando los Estados Unidos intervinieron a favor de la admirada Francia en la Primera Guerra Mundial y mostraron una actitud conciliadora hacia la América hispánica. Desde entonces —en *Ideologías* (1918), *Ideas e impresiones* (1919), *El dilema de la gran guerra* (1919), *Europa inquieta* (1926), *El espíritu de la nueva Alemania* (1928), *La herencia de Lenin y otros artículos* (1929), *Testimonios y comentarios* (1938)— fue ante todo un observador atento de la política internacional de su época, aunque nunca se olvidase de su país y de la América Latina.

En el México de principios de siglo los aires renovadores se identifican sobre todo con los jóvenes que, desde 1907 hasta 1914, se reunieron en lo que primero denominaron Sociedad de Conferencias, y luego Ateneo de la Juventud, y por último Ateneo de México. El alma del grupo fue el dominicano Pedro Henríquez Ureña (1884-1946), formado en la órbita de Hostos y luego un temprano y entusiasta difusor de Rodó, y junto a él iban a destacar muy pronto Antonio Caso (1883-1946) y Alfonso Reyes (1889-1959). Ellos asumieron como propia la actitud crítica hacia los planteamientos positivistas que también se manifestaba en representantes de la antigua escuela, según demuestra el discurso que Justo Sierra pronunció el 22 de marzo de 1908: al conmemorar el cincuenta aniversario de la introducción del positivismo en el país, Sierra se mostraba escéptico ante las posibilidades de la ciencia para acceder a una verdad absoluta —el misterio reaparece siempre más allá de las leyes descubiertas o por descubrir—, y esa actitud, proveniente de alguien con tanto prestigio, se conjugó con la recepción del arielismo, que determinaría el pensamiento de la nueva generación. Ésta se caracterizaría por su rigor y su independencia intelectual, por su espíritu crítico y filosófico y por su amor a la antigüedad clásica, según dedujo Henríquez Ureña de las seis conferencias impartidas en 1907 por miembros del grupo, sobre letras, artes y pensamiento moderno. Él mismo había impulsado esa orientación, a la que respondían también otras conferencias sobre la Grecia clásica que después prepararon y nunca dieron, eco de la «moda griega» que por entonces parecía triunfar en Europa y en los Estados Unidos.

Las Humanidades encontraban así ocasión para renacer en México, superando las limitaciones de una educación exclusivamente laica y científica. Además, ese renacimiento se entendía como reencuentro con una tradición propia, enraizada en una tradición hispánica y a la vez en lo mejor de la cultura universal, lo que equivalía a la mexicanización del arielismo que había hecho de Iberoamérica la heredera del mundo grecolatino. Metafísica y religión reclamaban sus derechos, al tiempo que se relacionaba la educación con el desarrollo de las facultades morales y estéticas. Tradición y progreso buscaban conjugarse a la vez que las humanidades y las ciencias, de la mano de un nuevo espíritu comprometido en la búsqueda constante de la verdad, de la mano de un ideal político de libertad y de democracia. A fines de la primera década del siglo, Bergson era decididamente el pensador preferido por los jóvenes, la representación por excelencia de la nueva filosofía, con especial atención para su teoría de la evolución creadora. Antonio Caso, no sin vacilaciones —en 1909 estuvo alguna vez junto a los «científicos» que abogaban por la continuidad del régimen de Porfirio Díaz—, había de convertirse en el mejor representante mexicano de ese pensamiento. Próximo a Justo Sierra, supo como él que los propios avances científicos ponían en entredicho la ingenua fe positivista en la capacidad de las ciencias para acceder a verdades absolutas, y que sólo la intuición —no la razón— sería capaz de llegar al fondo de los problemas. El tiempo haría de él un pensador notable, como demuestran *La existencia como economía, como desinterés y como caridad* (1919), *Discursos a la nación mexicana* (1922), *Doctrinas e ideas* (1924), *La filosofía de Husserl* (1934) y *El peligro del hombre* (1942), entre otras obras.

La admiración por Rodó no impidió que Henríquez Ureña encontrara planteamientos personales, decisivos para la orientación del Ateneo. Había residido por algún tiempo en Nueva York, lo que le permitió advertir el escaso rigor del arielismo en la apreciación de la sociedad norteamericana, a la vez que descubría la literatura en lengua inglesa y otros atractivos de una vida cultural muy activa. Después, en Cuba había publicado algunos artículos bajo el título de *Ensayos críticos* (1905), de modo que al llegar a México en 1906 estaba en condiciones de convertirse en un verdadero mentor de los jóvenes más inquietos. Había relacionado ya el modernismo con la independencia cultural de Hispanoamérica, y deseaba ir más allá de la renovación formal, en busca de un arte profundamente humano, orientado a servir, a levantar corazones, sin perjuicio de su calidad estética. Ese espíritu, que buscaba una justificación moral para el arte, derivaba de las enseñanzas de Hostos y de Rodó, contrarios ambos al arte pesimista y ensimismado de los decadentes. Henríquez Ureña difundió *Ariel,* y en 1908 tradujo y anotó para la *Revista Moderna* la conferencia sobre «Las corrientes literarias en la América Latina» de Francisco García Calderón, quien tuvo también eco notable en México como representante de un modernismo nuevo y profundo. Pero no sólo en ese aspecto fue decisiva la presencia del gran intelectual dominicano: él rescató para la cultura mexicana la filosofía y las Humanidades, él determinó el auge de la «moda griega» en México, e hizo de la expresión «clásica» una peculiaridad de la literatura de ese país; él orientó a Antonio Caso hacia la filosofía, y a Alfonso Reyes hacia los estudios literarios.

Esas aportaciones no deben hacer olvidar el interés de sus escritos. En 1910 publicó su segundo libro, *Horas de estudio,* donde quedaban otra vez patentes sus conocimientos culturales y literarios y su amplitud de criterio, y tal vez se manifestaba una preferencia creciente por los temas relacionados con la cultura clásica y con la producción literaria hispanoamericana, que fue su manera de indagar en la propia identidad. Lo demuestra especialmente el estudio dedicado a la «Vida intelectual de Santo Domingo», el único que no había dado a conocer con anterioridad, y en el que trataba de entender las ideas políticas y sociales a la vez que las manifestaciones de la vida religiosa, intelectual y artística. En 1914 abandonó México, y desde distintos lugares había de ejercer en adelante un magisterio continuado que se plasmó en volúmenes como *En la orilla. Mi España* (1922), *Seis ensayos en busca de nuestra expresión* (1928), *La cultura y las letras coloniales en Santo Domingo* (1936), *Plenitud de España* (1940), *Las corrientes literarias en la América Hispánica* (edición en inglés de 1945 y primera en castellano de 1949) y la póstuma *Historia de la cultura en la América Hispánica* (1947). Sin desdeñar otras aportaciones, debe resaltarse su extraordinaria contribución al conocimiento de la literatura de Hispanoamérica, decisiva para que se consolidase como una tradición cultural en sí misma. Esa fue la condición de su americanismo, siempre ajeno a los gestos ostentosos y a las especulaciones inútilmente optimistas o pesimistas, incluso a la pretensión de descubrir lo americano esencial. Lo suyo era una voluntad permanente de ensanchar la cultura o campo espiritual, convencido de que eso permitiría el acercamiento a la justicia social, a la libertad verdadera, a una utopía concebida (a la manera griega) como la inquietud del perfeccionamiento constante. Esa había de ser «La Utopía de América» —así tituló un notable ensayo de 1925—, una tierra significativamente forjada por el pensamiento utópico de Occidente. Invención helénica, el Nuevo Mundo debía convertirse en una patria de caracteres plenamente humanos y espirituales, en la patria del hombre universal.

El espíritu que animó al Ateneo de la Juventud encontró tal vez su manifestación por excelencia en los escritos de Alfonso Reyes. La convicción de que las manifestaciones culturales son algo dinámico y relativo, estrechamente ligado al discurrir de la historia, le permitió superar las actitudes dogmáticas, y nadie representó como él la tolerancia y la mesura que Rodó quería de la crítica literaria. A ella dedicó Reyes buena parte de sus esfuerzos, desde los ensayos juveniles que reunió en *Cuestiones estéticas* (1911) y en los que ya aparecían temas que le serían gratos para siempre: Goethe, Mallarmé, Góngora, la Grecia clásica. Esa actitud abierta se conjugó con la experiencia directa de distintas culturas que le proporcionó su estancia prolongada en varios países: en Francia, en España, en Argentina, en Brasil. De sus diversas aficiones y capacidades queda testimonio en sus numerosos escritos, en su mayoría de posible adscripción a ese «centauro de los géneros» que es el ensayo: *El suicida* (1917), *Retratos reales e imaginarios* (1920), *El cazador* (1921), *Simpatías y diferencias* (1921-1927), *Cuestiones gongorinas* (1927), *Las vísperas de España* (1937) son títulos dignos de mención, y buena muestra de la variada inspiración que guiaba a Reyes, atento a la circunstancia social y política, literaria y artística. El humanista mexicano superaba el modernismo rescatando de él la actitud cosmopolita, el interés por la cultura universal, tal vez la pretensión de ser, más que un filósofo sistemático, un poeta con preocupaciones sociológicas y metafísicas.

Entre los temas que abordó, y fueron muchos, uno de los más interesantes tiene que ver con el ser de los pueblos, inseparable de sus manifestaciones culturales. Como sus maestros más inmediatos, Reyes trató de arraigar el presente en el pasado, conciliando, sin esfuerzo aparente, tradición y modernidad. Ya en la época temprana del Ateneo de la Juventud, con ocasión del Centenario de la Independencia, preparó una conferencia sobre «Los *Poemas rústicos* de Manuel José Othón» —relacionada con un trabajo más amplio que había de denominarse «El paisaje en la poesía mexicana del siglo XIX»—, y en ella trató de confirmar la opinión de Menéndez y Pelayo, quien en su *Historia de la poesía hispanoamericana* había hecho de la poesía descriptiva su manifestación más original, y en México había encontrado un país de arraigadas tradiciones clásicas. Reyes compartió esa impresión, que determinaría para el futuro su visión de la tierra y de la cultura de México y de Hispanoamérica. A su personal americanismo se deben ensayos tan notables como «Visión de Anáhuac» (1917), «Discurso por Virgilio» (1933), «Notas sobre la inteligencia americana» (1937) y «Posición de América» (1942), que son también la muestra mejor de su capacidad para conjugar el sentimiento americano con su pasión por la literatura grecolatina. Había entendido que las Humanidades constituían parte fundamental en la tradición cultural mexicana, y que prescindir de ellas era renunciar a las raíces propias, en un momento en que se trataba de asentar sobre éstas la modernización de Iberoamérica. Reyes nunca se consideró ajeno a la tradición europea —ésa era la tradición de Grecia y de Roma—, ni sintió que fuese otra la tradición americana.

En consecuencia, «la hora de América» era para él universal, sobre todo en lo que se refiriese al ámbito del Anáhuac, a esa meseta mexicana que identificó con el espíritu clásico. El paisaje —esa fue quizá su moderada contribución al telurismo vigente— determinaría la continuidad de la cultura a través de los tiempos. El pasado precolombino, por el que Reyes demostró un notable interés, compartiría con el presente la emoción cotidiana ante una misma naturaleza, engendradora del alma común. El futuro, por otra parte, tenía que ver para él con la construcción de un mundo ajeno al racismo étnico o cultural, ajeno incluso a falsos dilemas como el que parecía obligar a elegir entre americanismo y universalidad. Esta actitud le permitió ocuparse de las cuestiones más variadas, demostrando con hechos lo que en su opinión había de ser la inteligencia americana: la síntesis de la cultura humana, una organización cualitativamente nueva y de virtud trascendente. Su trabajo incesante había de culminar en magníficos ensayos de madurez, relacionados con la teoría de la literatura —*La experiencia literaria* (1942), *El deslinde: prolegómenos a la teoría literaria* (1944)—, con la crítica literaria —*Letras de la Nueva España* (1948)—, con su constante afición a la cultura clásica —*La crítica en la edad ateniense* (1941), *Junta de sombras* (1949), *Estudios helénicos* (1957), *La filosofía helenística* (1959)—, o con el pensamiento utópico, tan ligado a la significación de América en el mundo y al que dedicó la atención que demuestran especialmente *Última Tule* (1942), *Tentativas y orientaciones* (1944) y *No hay tal lugar...* (póstumo, 1960).

No todos los miembros del Ateneo de la Juventud se mostrarían tan mesurados, ni lo permitió el exacerbado nacionalismo que sucedería a la Revolución Mexicana. A este respecto fue especialmente significativo el caso de José Vasconcelos (1882-1959), que se integró en el grupo ya en vísperas del estallido revolucionario, aunque todavía a tiempo para compartir el entusiasmo por la cultura griega. Él fue quien más decididamente se manifestó contra Porfirio Díaz y a favor de Francisco I. Madero, en el que pareció ver una manifestación del idealismo o espiritualismo que exigían los tiempos, y quizás también el primero en declarar su adhesión al bergsonismo, en la conferencia sobre «Don Gabino Barreda y las ideas contemporáneas» que pronunció con ocasión del Centenario de la Independencia. Luego, comprometido con el nuevo régimen, relacionó la revolución política maderista con la revolución intelectual de los ateneístas, y vio en ambas el despertar moral del pueblo mexicano. Desde el propio Ateneo, cuya presidencia ocupó en 1911, trató de fomentar un pensamiento más decididamente americanista que el desarrollado hasta entonces, y puede decirse que con esa actitud ha de relacionarse toda su obra de madurez. La educación pública fue su preocupación fundamental en los años veinte, cuando fue rector de la Universidad Nacional y Secretario de Educación del gobierno de Álvaro Obregón. Se trataba de trabajar en beneficio del pueblo mexicano, de contribuir a que las masas se liberasen de la ignorancia y de la pobreza, y con ese fin favoreció la creación de escuelas, defendió la integración del indígena e impulsó un verdadero renacimiento literario y artístico.

También trató de definir los caracteres de la cultura nacional —ésa era una misión que consideraba propia de la Universidad—, y la entendió como una conjunción de Grecia y de Asia, de España y de América. En *Pitágoras, una teoría del ritmo* (1916), al referirse a la condición armónica y musical del universo, ya había reiterado la distinción entre el conocimiento científico y ese otro conocimiento intuitivo, relacionado con el arte y con la contemplación desinteresada. También había asociado al primero con el positivismo y con el mundo anglosajón, y, frente a esa amenaza, Vasconcelos abogó por la socialización de la riqueza y proclamó el advenimiento de una nueva era en la historia de la humanidad, cuyo protagonismo correspondería a una Hispanoamérica liberada de las limitaciones del extranjerizante siglo XIX. A divulgar ese mensaje, implícito en *El monismo estético* (1918), dedicó *La raza cósmica* (1925) e *Indología* (1926): la fuerza habría dominado en una primera fase material o militar de la historia, y la ciencia y la ley en una segunda etapa, intelectual o política, signada por la competencia entre las naciones; una tercera edad se avecinaba, estética y espiritual, animada por el amor y la belleza, caracterizada por la paz y la hermandad de los pueblos. A esa realización estaba destinada Hispanoamérica, y se precisaba aún más la concreción de la utopía: el mestizo fue la raza elegida, pues ella significaba la síntesis final de los distintos pueblos, y la Amazonia resultó el lugar indicado para constituir el núcleo fundamental de ese reino que había de venir. Vasconcelos trataba de adelantar su llegada cuando aspiró a la presidencia de México, en 1929. El fracaso, que se hace sentir en *Pesimismo alegre* (1931) y en *Estética* (1935), tal vez determinó la redacción de la autobiografía que configuran los volúmenes titulados *Ulises criollo* (1936), *La tormenta* (1937), *El desastre* (1938), *El proconsulado* (1939) y *La flama* (póstumo, 1960). En ellos dejó su testimonio sobre la historia reciente del país, y una visión negativa de la revolución y de los çaudillos, nueva manifestación de la América bárbara denostada por Sarmiento. Era la visión adecuada al desencanto de Vasconcelos, quien, como demuestra su *Breve historia de México* (1936), en un momento determinado optó decididamente por la tradición hispánica frente a la barbarie azteca, al tiempo que atribuía la exaltación de lo indígena al imperialismo norteamericano, empeñado en privar al país de su verdadera personalidad cultural.

Con el Ateneo de la Juventud y de México se relacionaron otros notables ensayistas mexicanos, como Julio Torri (1889-1970), autor de *Ensayos y poemas* (1917), *De fusilamientos*

(1940) y algunas «prosas dispersas» que junto a las obras citadas conformaron finalmente el volumen titulado *Tres libros* (1964): en esa producción breve, que completan algunos otros escritos de menor interés, predomina el ensayista de expresión refinada y esencial, el observador resignado e irónico, atento por igual a temas menores o trascendentes, y especialmente acertado al ocuparse de literatura. Por otra parte, el espíritu de los ateneístas se difundió pronto fuera de su país, y bien lo prueba la Sociedad de Conferencias que se fundó en La Habana en 1910. En sus actividades participó el dominicano Max Henríquez Ureña (1885-1970), quien durante años había vivido en México y había seguido de cerca las actividades de su hermano Pedro. Él también fue un ensayista notable, preocupado por los problemas políticos de su tiempo —de ellos se ocupó en *Los Estados Unidos y la República Dominicana* (1919) y en *Los yanquis en Santo Domingo* (1929)— y por el estudio de la literatura hispanoamericana, a la que dedicó trabajos tan encomiables como *El retorno de los galeones* (1930) y *Breve historia del modernismo* (1954). La crítica literaria se había convertido, definitivamente, en una posibilidad de descubrir y de fundar la identidad propia.

En la búsqueda de esa identidad el concepto de raza había perdido en muchas ocasiones su significación étnica para adquirir otra cultural, relacionable con la historia propia y con la personalidad colectiva. En cualquier caso, esa significación étnica no desapareció: buen ejemplo es el de Alcides Arguedas, que en *Pueblo enfermo* había responsabilizado a indios y mestizos de los males de Bolivia. Apenas varió sus postulados en las sucesivas ediciones de ese célebre ensayo —la última de 1937, lo que le permitió mostrar su admiración por el nacionalsocialismo alemán—, y los aplicó al análisis de la historia nacional en *La fundación de la República* (1920), *Historia general de Bolivia* (1922), *Los caudillos letrados* (1923), *La plebe en acción* (1924), *La Dictadura y la Anarquía* (1926) y *Los caudillos bárbaros* (1929). Esos planteamientos «decimonónicos» no estaban tan lejos como se supone de los vigentes en el mundo hispánico durante las primeras décadas de nuestro siglo. Al cabo, como también puso de manifiesto en las memorias que tituló *La danza de las sombras* (1934), Arguedas era un regeneracionista preocupado por el destino de su país, empeñado en desvelar las profundidades del alma nacional, orgulloso de su ascendencia española y adicto a la mística del caudillo que en su versión estrictamente espiritual había alentado Rodó en «El que vendrá». Desde luego, el irracionalismo triunfante posibilitaba otras interpretaciones del problema racial, y de responder a Arguedas se encargó tempranamente su compatriota Franz Tamayo (1879-1956): en su *Creación de una pedagogía nacional* (1910) rechazó el racismo científico para proponer un resurgimiento boliviano basado en la energía vital de las masas indígenas de los Andes, superiores a los blancos por su condición moral y por su adaptación secular a ese medio geográfico difícil. No idealizaba el pasado hasta el punto de pretender recuperarlo: él estaba también por el progreso y por la absorción de lo más selecto de la civilización occidental, pero —invocando el ejemplo de Japón— se inclinaba por la adopción de las técnicas sin menoscabo de la identidad propia, que hacía radicar exclusivamente en el indio.

Así se manifestaba una nueva mística de las razas primitivas, que alcanzaría gran difusión en los años siguientes. El negro también se benefició de ella, como muestran los trabajos del cubano Fernando Ortiz (1881-1969). La sociología positivista había determinado sus comienzos: *Los negros brujos* (1906) fue un estudio de patología social, que tenía muy en cuenta las aportaciones de la criminología genético-experimental y pretendía encontrar en impulsos atávicos la explicación de determinados comportamientos. Pero ya en *Los negros esclavos* (1916) se advierte una voluntad de encontrar justificaciones históricas para los problemas étnicos de Cuba, y una nueva versión de *Los negros brujos*, en 1917, prueba que Ortiz estaba ahora más interesado en la historia y en la cultura de la población negra que en su condición patológica o criminal. Es la orientación que culminaría en *Contrapunteo cubano del tabaco y del azúcar* (1940), un profundo análisis de las estructuras económicas y sociales del país, con especial atención para la «transculturación» derivada del choque de culturas diversas, de su interpenetración en un plano de igualdad. Ortiz contribuía así a la descolonización de las ciencias sociales, que pareció producirse cuando las culturas «primitivas» dejaron de verse como inferiores a las «civilizadas». Con ese cambio de actitud ha de relacionarse la sustitución del enfoque criminalista y jurídico por otro inseparable de la afirmación nacional. Con ésta tienen que ver ya los primeros trabajos arqueológicos y lexicográficos de Ortiz —*Historia de la Arqueología indocubana* (1923), *Catauro de afronegrismo* (1923), *Glosario de cubanismos* (1924)—, que prueban su interés por la cultura popular.

Para la consolidación de esas actitudes fue decisivo el clima intelectual de los años veinte. Es la época de los movimientos de vanguardia, que casi siempre asumen un carácter nacionalista, y por entonces se difunde una visión del mundo americano relacionable en gran medida con las opiniones de José Ortega y Gasset y con la influencia de su *Revista de Occidente*, que se publicó en Madrid desde 1923 hasta 1936. La crisis de la cultura europea —*La decadencia de Occidente*, según el título de la divulgada obra de Oswald Spengler— encontró en las páginas de esa revista un eco excepcional, y Ortega aprovechó las circunstancias para hacer de América un pueblo joven o niño, en perpetuo estreno, capaz de sentir con plenitud, heroica o mitológicamente. Algunos párrafos de las *Lecciones sobre la filosofía de la historia* de Hegel ayudaban a imaginar esa tierra del porvenir, esencial y saludablemente primitiva. Frente a la decadencia europea, que Ortega también presentó a su modo, América aspiraría a ser el centro del universo futuro, un universo que, por otra parte, se adivina ajeno al racionalismo, propio de la cultura de Occidente que ahora llegaba a su fin. No eran muy diferentes los planteamientos de Vasconcelos cuando decidió que sólo la América española y portuguesa —y no la América del Norte, manifestación exacerbada de la civilización científica e industrial europea— permitía esperar un nuevo principio para la humanidad, pues África nada podía ofrecer aún y tanto Europa como Asia mostraban el espectáculo de su decrepitud evidente.

Tal actitud «irracionalista» determinó la nueva valoración de la complejidad racial que presentaba la población latinoamericana, y otra vez es un buen ejemplo el de Vasconcelos, cuya visión utópica de la «raza cósmica» significaba una crítica para las teorías que aún hablaban de la degeneración de las sociedades híbridas. El indio, cuyo análisis no se podía eludir en los países en que su presencia era más abundante, mereció ahora una atención continuada, como demuestran los muchos trabajos dedicados a él, con frecuencia asociándolo a la identidad que se pretendía definir. Ése fue el caso de Perú, donde al hispanismo aristocrático de José de la Riva Agüero se opuso pronto una interpretación indigenista de la cultural nacional. La primera muestra clara de esa actitud fue tal vez un artículo aparecido en la revista *Colónida* en 1916, en el que Federico More (1889-1956) animaba a indagar en el alma incaica para desarrollar a partir de ella una literatura propia. Para conciliar esas posturas, Luis Alberto Sánchez

(n. 1900) patrocinó a partir de 1920 la fusión de los distintos elementos constitutivos de la nacionalidad, eso sí, fomentando el «quechuismo», o inspiración en las tradiciones prehispánicas, para su perfecta integración en la sociedad peruana contemporánea y para terminar con el «perricholismo» de las corrientes hispanizantes del criollismo tradicional, que aún encontraría un continuador destacado en Víctor Andrés Belaúnde (1883-1966), el autor de *Meditaciones peruanas* (1923) y de *Peruanidad, elementos esenciales* (1942).

Las disputas no hubieran dado de sí mucho más de no haber intervenido en ellas José Carlos Mariátegui (1894-1930), quien merece particular atención por haber ofrecido un singular aprovechamiento del pensamiento de izquierda, difícilmente conciliado con la sociología positivista por Ingenieros, y con el latinoamericanismo antiimperialista por Manuel Ugarte. Desde esa perspectiva abordó el análisis del problema indígena, siguiendo la ruta abierta por González Prada, el primero en adoptar años atrás un indigenismo militante y en poner de manifiesto —con su famosa denuncia de la «trinidad embrutecedora» del indio: la que formaban el juez de paz, el gobernador y el cura— la importancia de los factores económicos y sociales. En ellos insistía ahora el izquierdismo radical, que trataba de hacer frente tanto a los herederos del cientificismo decimonónico como a quienes forjaban mitos compensatorios y utopías para el futuro. El pensamiento marxista ganaba adeptos, y Mariátegui se acercó a él durante su estancia en Europa, entre 1919 y 1923, culminando un proceso que en su país ya lo había aproximado a los anarcosindicalistas defensores de la causa obrera. A su regreso participaría activamente en la vida política nacional: colaboró con Víctor Raúl Haya de la Torre (1895-1979), que en 1924 fundaba en su exilio de México la Alianza Popular Revolucionaria Americana (APRA), y, cuando en 1927 esa asociación se transformó en partido político, se alejó de ella y fundó el Partido Socialista del Perú, que dirigió hasta su muerte.

Paralelamente había desarrollado una notable actividad literaria, que en gran medida se plasmó en numerosos artículos periodísticos sobre temas diversos. En ellos puede seguirse su evolución desde los tiempos en que él mismo había de recordarse «infeccionado de decadentismo y bizantinismo finiseculares», hasta sus preocupaciones políticas de madurez. Algunos fueron tempranamente reunidos en *La escena contemporánea* (1925).

Pero la importancia de Mariátegui guarda relación sobre todo con la revista *Amauta*, que dirigió entre 1926 y 1930 —el título constituía un homenaje explícito al mundo prehispánico: «amauta» era el sacerdote y sabio incaico, y eso hablaba de la pretensión revolucionaria de crear un Perú antiguo y nuevo a la vez—, y con sus *Siete ensayos de interpretación de la realidad peruana* (1928), que iban a ejercer una poderosa influencia. En su análisis ocupaban un lugar de primer orden las cuestiones relativas al indio. Desde una perspectiva marxista poco o nada preocupada por mantenerse dentro de la ortodoxia, Mariátegui entendía que todas las tesis sobre el problema indígena que ignorasen o eludiesen su condición económico-social eran «otros tantos estériles ejercicios teóricos —y a veces sólo verbales—, condenados a un absoluto descrédito» (1979: 20). El problema no derivaba para él de las deficiencias administrativas, jurídicas o eclesiásticas, sino ante todo de la posesión de la tierra, y la profunda renovación social y humana que juzgaba necesaria para su país pasaba por soluciones económicas, y no culturales o morales. Tal vez esas consideraciones, y las que se refieren a una literatura necesariamente mestiza como la que se ocupaba del indio, son decisivas en la evolución del pensamiento y de la literatura de los países andinos. El indígena se convertía ahora en un explotado entre los explotados, otro más entre los desheredados de la tierra.

Eso no significa que Mariátegui viese los problemas en términos exclusivamente «materialistas»: sus exhortaciones a la revolución comparten de algún modo el rechazo generalizado del cientificismo y del racionalismo, y se acercan así a las propuestas regeneracionistas que habían rechazado la noción positivista del progreso. Desde luego, su actitud no se ajustaba al americanismo dominante, pero sobre todo en la medida en que relacionaba la salvación de Indoamérica con una utilización adecuada de la ciencia y el pensamiento europeos u occidentales. Por otra parte, tampoco tuvo reparos en referirse al «sensualismo fetichista» y la «oscura superstición» del negro, ni mostró una visión positiva de «lo heteróclito y abigarrado de nuestra composición étnica» (1979: 158), ni compartió las utopías que entonces celebraban el futuro de la América mestiza. Eso no lo mantuvo ajeno a la mitificación de mundo prehispánico que entonces se producía, y a la que contribuyó con su imaginación y defensa del «comunismo inkaico», que facilitaría el éxito de la revolución entre los indios. No en vano alguna vez abogó por la creación de una nueva mitología, convencido de que sólo el mito —o la religión— tiene el extraño poder de alcanzar las profundidades del hombre. No en vano alguna vez pensó que marxismo e idealismo se distinguían apenas «por una convención del idioma».

Otros compatriotas suyos contribuirían con menos rigor a la exaltación indigenista, como Luis E. Valcárcel (n. 1894), a quien pertenecen *Del ayllu al imperio* (1925), *Tempestad en los Andes* (1927) y *Ruta cultural del Perú* (1945). Por otra parte, el telurismo había encontrado buena acogida en el país: puede comprobarse sobre todo en *El nuevo indio. Ensayos indigenistas sobre la sierra peruana* (1930), donde José Uriel García (n. 1884) advirtió que volver al indígena no era volver al pasado, sino volver a la tierra y a la conciencia de la tierra. El «indianismo» de que él hablaba no había de confundirse con la inútil pretensión «inkaísta» de recuperar el pasado: afectaba a todos los hombres ligados a la tierra de los Andes, cualquiera que fuese el color de su piel. Su tesis recuerda la expuesta por Rojas en *Eurindia*, como la de Vasconcelos relativa a la «raza cósmica» se reitera de algún modo en *El pueblo continente* (1939): Antenor Orrego (1892-1960), también peruano y colaborador de *Amauta*, trató aquí de conciliar el marxismo con un nacionalismo continental, lo que exigía ceder el protagonismo a la América mestiza, resultado de la confluencia armónica de las distintas razas. Esa América futura había de nacer del caos primordial al que se habría regresado con el choque brutal entre la cultura autóctona y la europea. En ese barro informe se encontrarían los gérmenes de la sociedad nueva, cuyo desarrollo impulsarían la mística revolucionaria y las fuerzas telúricas.

Las distintas teorías sobre la realidad y el futuro de América no importan más, quizá, que el mero hecho de que se planteen. Una convicción compartida da coherencia a las variadas pretensiones de definir la identidad americana: la de que el autoconocimiento era condición necesaria para conseguir la renovación. Desde la perspectiva aprista de Antenor Orrego, los factores biológicos, psíquicos, telúricos e históricos conformaban la modalidad vital propia del «pueblo continente» americano; conocerlos era el primer paso para salir de sus limitaciones, para empezar a ser, para dar eficacia histórica a la aventura revolucionaria que se pretendía. En consecuencia, esos planteamientos, como los de muchos otros ensayistas de la época, insisten en mostrar la especificidad del Nuevo Mundo, las diferencias que separarían la evolución histórica indoamericana de la europea. Alguna vez se entrevieron las dificultades que entrañaba esa búsqueda, y al respecto, porque las advierte desde una perspectiva tan «autóctona» como era la indigenista, merece atención especial el ensayo que el boliviano Guillermo Francovich (n. 1901) tituló *Pachamama* (1942): configurado como un diálogo, sus personajes discutían sobre la posibilidad futura de una gran civilización específicamente hispanoamericana, sobre el papel de las fuerzas de la naturaleza, sobre las limitaciones de las variadas teorías irracionalistas desde las que se había tratado de perfilar las características de la cultura propia. Probablemente Francovich apuntaba la necesidad de superar la tendencia constante a diferenciar lo universal de lo americano, que reiteradamente entrañaba una nueva concepción nativista y pintoresca de lo propio (Stabb, 1967: 136-138). No fue escuchado, al menos en su país: en *Thunupa* (1947), *Sariri* (1954), *Fantasía coral* (1957), *Nayjama* (1950) y otros ensayos, su compatriota Fernando Díez de Medina (n. 1908) reiteró los análisis y la exaltación del indio y de la dura geografía boliviana, y animó a una regeneración continental basada en el mestizaje unificador y arraigada en lo ancestral y lo telúrico.

No fueron esas las únicas posibilidades que se abrieron a la hora de una indagación seria del problema americano. Las aportaciones del psicoanálisis abrieron nuevos caminos al menos desde los años treinta, y lo demuestran obras como *El perfil del hombre y la cultura en México* (1934), donde el mexicano Samuel Ramos (1897-1959) intentó un análisis profundo de la personalidad nacional a partir de sus experiencias «infantiles». Esas experiencias, relacionadas con el encuentro traumático del indio y el conquistador, se habrían traducido en un sentimiento de inferioridad —del europeo frente a la naturaleza americana, del indio frente al blanco, del mexicano frente a un mundo en que habría irrumpido demasiado tarde— que se trata de encubrir con máscaras muy diversas. El análisis de esas máscaras obedece en Ramos a la pretensión de desvelar la verdad oculta para resolver el problema, pues la solución radica precisamente en la aceptación de uno mismo y en el desarrollo de la personalidad propia. En consecuencia, su indagación en lo mexicano no era ajena a las preocupaciones regeneradoras que determinaron después su *Hacia un nuevo humanismo: programa de una antropología filosófica* (1940). Se trataba de hacer frente a la deshumanización contemporánea, de modo que las preocupaciones nacionalistas adquirían de inmediato un evidente alcance universal.

La preocupación por el hombre en sí mismo parece así abrirse camino en los años treinta, sin desligarse de los planteamientos americanistas. A esas novedades contribuyeron especialmente algunos ensayistas argentinos, entre los que son de mención inevitable Ezequiel Martínez Estrada (1895-1964), Carlos Alberto Erro (1899-1968) y Eduardo Mallea (1903-1982), a quienes se había anticipado Raúl Scalabrini Ortiz (1898-1959) al menos con un título sugerente: *El hombre que está solo y espera* (1931). En *Medida del criollismo* (1929) y *Tiempo lacerado* (1936), Erro muestra con claridad notable la respuesta de los intelectuales a la evolución política y económica que sufre el país de una década a otra: atento a las exigencias de la vanguardia, desdeñó primero el criollismo radicado en la tierra o en el pasado para proponer otro de alcance universal y en realización constante; luego, en una época proclive al desencanto —sobre Argentina se habían precipitado el autoritarismo de los militares y la crisis económica que siguió al crac del 29—, entendió que los tiempos de adversidad eran propicios al autoanálisis del que había de derivar el nacimiento de una Argentina auténtica. El sufrimiento se descubría así liberador, relacionado con una revolución moral que conduciría a un progreso verdadero, ajeno al concebido desde las diversas manifestaciones del materialismo. Erro había entendido el ser como problema, y no como estabilidad, y en esa lógica le fue fácil identificar el existencialismo —en *Diálogo existencial* (1937), a propósito de Heidegger— con la culminación necesaria de la rebelión contra el racionalismo y el cientificismo.

Los planteamientos de Mallea eran semejantes, según puede deducirse de *Conocimiento y expresión de la Argentina* (1935), *Historia de una pasión argentina* (1937), *El sayal y la púrpura* (1941), *Notas de un novelista* (1954), *La vida blanca* (1960), *Las travesías* (1961-1962), *La guerra interior* (1963) y *Poderío de la novela* (1965). En *Historia de una pasión argentina* se encuentran ya plenamente formuladas las preocupaciones que determinan en buena medida toda su obra, incluidas las narraciones. Mallea distinguía allí una Argentina «visible» —la de los falsos valores, superficial, egoísta y desnaturalizada— de otra «invisible», relacionable con valores verdaderos: en último término, los del hombre honesto, trabajador y desinteresado. También procuró establecer diferencias entre lo visible y lo invisible del ser humano, y paralelamente entre un paisaje externo y un territorio «espiritual», con lo que ofrecía una versión peculiar de la mística de la tierra: el argentino invisible es el que mantiene una relación estrecha con ese territorio espiritual y secreto. Desde luego, Mallea tampoco careció de propósitos reformadores, y a ellos respondía su propia indagación: la soledad era el primer paso para el autoconocimiento —para el acceso a la dimensión de lo invisible—, como la angustia y la desolación del hombre contemporáneo eran un requisito para su liberación; ésta se produciría cuando las metas positivistas dejasen paso definitivamente a un resurgimiento espiritual, a una entrega desinteresada, a una generosidad acorde con la de la naturaleza.

Sin optimismo alguno, Martínez Estrada dedicó a la investigación del problema argentino ensayos de excepcional interés, como *Radiografía de la pampa* (1933), *La cabeza de Goliat* (1940) y *Muerte y transfiguración de Martín Fierro* (1948). Un pesimismo insuperable parece determinar su análisis de una realidad nacional caracterizada desde siempre por el fracaso: por la desilusión de los primeros colonos y de los últimos inmigrantes ante la inmensa soledad de la llanura, y por la desilusión de los civilizadores ante las indomables fuerzas primitivas de una naturaleza hostil o ante el crecimiento implacable de una capital que absorbe todas las energías del país. Ésas son las razones secretas del miedo que determinaba en su opinión la conducta política argentina, disimulado bajo las pseudoestructuras o laberinto de equívocos que constituían las instituciones. Bajo ellas se oculta el país «torácico»: lo telúrico, lo verdaderamente autóctono, las fuerzas humanas elementales. Puesto que la ciudad representa el orden constituido —la racionalidad corruptora, que aísla del reino de lo natural—, podría deducirse la preferencia de Martínez Estrada por el hombre enraizado en la tierra, generadora de la fuerza, de la solidaridad y de otras virtudes. Ciertamente, alguna vez participa también de esa mística, pero no es lo común: casi siempre decidió ver en la naturaleza un adversario terrible y destructor, que alguna vez impondría su libertad bárbara y ciega, arrasando la servidumbre intelectual y la mentira opulenta de las ciudades traidoras. En consecuencia, no hay lugar para la esperanza: Martínez Estrada es «el gran moralista solitario, apocalíptico y jeremíaco, que señala los males de la sociedad y anticipa el castigo de sus pecados» (Matamoro, 1975: 45). Como para Mallea, la soledad era el punto de partida, pero esta vez la soledad está también al final del camino.

Los trabajos que dedicó al estudio de grandes personajes —*Sarmiento* (1946), *Nietzsche* (1947), *El mundo maravilloso de Guillermo Enrique Hudson* (1951)— son otras tantas biografías del fracaso, y el primero es especialmente útil para comprender las posiciones de Martínez Estrada ante la realidad y la historia argentinas: si en el gaucho había visto personificada la humillación del hombre americano —hijo ilegítimo del conquistador europeo y de la india violada—, en Sarmiento vio representada la inutilidad del esfuerzo civilizador en un país dominado por las fuerzas de la tierra y por la vida de los impulsos. En cualquier caso, quedaba bien de manifiesto una vez más su predilección por los mártires, los derrotados y los desvalidos. No es difícil encontrar otros ejemplos en su amplia obra ensayística, a la que también pertenecen *Panorama de las literaturas* (1946), *Cuadrante del pampero* (1956), *Diferencias y semejanzas entre los países de América Latina* (1962), *Realidad y fantasía de Balzac* (1964) y los póstumos *Martí, el héroe y su acción revolucionaria* (1966) y *Martí revolucionario* (1967).

El número de los que trataron de profundizar en la identidad de sus países puede ampliarse hasta el infinito. Tal vez merecen mención algunas contribuciones chilenas, como *Chile o una loca geografía* (1940), de Benjamín Subercaseaux (1902-1973), o *Presencia de Chile* (1942), de Luis Durand (1895-1954); y otras cubanas, como *La indagación del choteo* (1928), de Jorge Mañach (1898-1961), o *Sobre la inquietud cubana* (1930) y *Americanismo y cubanismo literario* (1932), de Juan Marinello (1898-1977). No faltan tampoco otras trayectorias de gran interés, como la del venezolano Mariano Picón-Salas (1901-1965), o la del colombiano Germán Arciniegas (n. 1900). Picón-Salas, como puede comprobarse en *Buscando el camino* (1920), fue de los muchos que condenaron el cientificismo del XIX y su visión fatalista de Hispanoamérica, y dedicaron sus esfuerzos a rescatar y construir a la vez una tradición cultural. *Intuición de Chile y otros ensayos en busca de una conciencia histórica* (1935), *De la conquista a la independencia. Tres siglos de historia cultural hispanoamericana* (1944), *Europa-América. Preguntas a la esfinge de la cultura* (1947) y *Comprensión de Venezuela* (1955) son algunos resultados de esa pretensión, también evidente en interesantes escritos de carácter autobiográfico como *Viaje al amanecer* (1943) o *Regreso de tres mundos* (1959). Y en cuanto a Arciniegas, su obra, también muy abundante en títulos —*El es-*

tudiante de la mesa redonda (1932), *América, tierra firme* (1937), *Biografía del Caribe* (1945), *Este pueblo de América* (1945), *Entre la libertad y el miedo* (1952), *América mágica* (1959) y *El continente de siete colores* (1965) figuran entre ellos—, conjuga el interés por la historia pasada o reciente con la voluntad de proponer una visión esperanzadora del mundo latinoamericano. Esa preocupación fundamental no le ha impedido prestar atención a cuanto ocurre fuera de ese ámbito, pues Arciniegas entendió siempre que su América es parte de otra más compleja y que nunca le ha sido ajeno cuanto ocurre en Europa.

9. SOBRE EL ENSAYO CONTEMPORÁNEO

Las diferencias entre los escritores tratados y los que mencionaré a continuación no siempre son perceptibles, pues ningún cambio brusco se ha producido en la evolución del ensayo hispanoamericano. Tal vez a los «maestros» que iniciaron su tarea en las primeras décadas del siglo, preocupados por la afirmación de la América latina, haya sucedido otra generación ganada por el escepticismo desde los años treinta (Earle, 1973: 113); tal vez disminuye poco a poco el número de los trabajos dedicados a indagar en la identidad hispanoamericana, o esa búsqueda asume formas distintas y aún no debidamente explicadas. Desde luego, en los autores que me ocuparán ahora se advertirá que esas preocupaciones persisten —no es extraño, puesto que muchos de sus escritos coinciden en fecha de publicación con otros ya citados—, y quizá también el proceso que les permite encontrar formulaciones vigentes todavía hoy. En muchos casos se trata de escritores que han destacado especialmente en otros géneros literarios, lo que —si tenemos en cuenta casos como los de Gálvez o Mallea— tampoco es una novedad. Los ensayos permiten comprender mejor las obras de creación correspondientes, y eso no es el menor de los atractivos.

Los del argentino Jorge Luis Borges (1899-1986) constituyen un ejemplo excelente, en especial los reunidos en *Discusión* (1932), *Historia de la eternidad* (1936) y *Otras inquisiciones* (1952). Antes, Borges había participado en el movimiento ultraísta español y había llevado esas novedades vanguardistas a Buenos Aires —sus primeros escritos en prosa estuvieron en buena medida dedicados a dar una definición teórica a la renovación literaria—, para luego dar a sus preocupaciones una orientación criollista, evidente en sus poemas y en tres libros de ensayos que se negaría a reeditar —*Inquisiciones* (1925), *El tamaño de mi esperanza* (1926) y *El idioma de los argentinos* (1928)—, así como en otro que tituló *Evaristo Carriego* (1930), dedicado fundamentalmente al estudio de ese poeta argentino que ganó para la literatura el arrabal porteño. Luego, Borges repudiaría esa pretensión de argentinidad que lo había llevado a abundar en temas nativistas, en expresiones locales y en licencias ortográficas que pretendían lo autóctono. Sus posiciones definitivas frente al nacionalismo literario quedaron fijadas en «El escritor argentino y la tradición» (*Discusión*): «Los nacionalistas —acusaba— simulan venerar las capacidades de la mente argentina, pero quieren limitar el ejercicio poético de esa mente a algunos pobres temas locales, como si los argentinos sólo pudiéramos hablar de orillas y estancias y no del universo» (1989: I, 271).

Desde luego, sus especulaciones iban a ocuparse del universo y de la literatura, y para advertir su alcance conviene tener en cuenta que entrañan un radical planteamiento de las limitaciones del lenguaje, concebido como un sistema de símbolos que enmascaran o simplifican la compleja realidad de la que pretenden dar cuenta. Borges pudo deducir que nuestros saberes no van más allá de las ideas que nos formamos de las cosas, y tal vez lo que creemos un cosmos, un orden, no es sino una sistematización arbitraria, derivada de un conocimiento siempre parcial. Las conjeturas o ficciones destinadas a aclarar el misterio constituyen lo que entendemos como religión o filosofía, y sobre ellas se proyectó la atención de este temprano lector de Berkeley y de Schopenhauer: en numerosos ensayos reflexionaría sobre las paradojas de Zenón, sobre la cábala, sobre la identidad personal, sobre el tiempo y el espacio, sobre la eternidad y el infinito, sobre la duración del infierno, sobre la divinidad y enigmas similares. También se ocupó de quienes postularon para el universo una condición ficticia o verbal, quienes creyeron que el mundo es el sueño de Alguien, o los que defendieron que todos los hombres son el mismo hombre. Es evidente su preferencia por los planteamientos más insólitos y originales, su declarada tendencia —prueba de un «escepticismo esencial», según él mismo advirtió— a estimar las ideas filosóficas y religiosas «por su valor estético y aun por lo que encierran de singular y de maravilloso» (1989: II, 153). No son otra cosa —podría concluirse— que un juego intelectual, un pasatiempo, un esfuerzo estéril que no mejora nuestro conocimiento del universo, ni modifica las servidumbres de la condición humana.

Tales consideraciones no son menos decisivas en lo que se refiere a la literatura. En este caso —que es el único caso, pues, desposeídas de sus valores tradicionales, la filosofía y la teología ingresan en el ámbito de lo literario—, la incapacidad del lenguaje para dar cuenta de la realidad hace ingenua cualquier pretensión de realismo, y ni siquiera la autobiografía —recuerdos desfigurados de experiencias complejas— se sustrae a esta intuición fundamental: la literatura siempre es fruto de la imaginación. Borges había de preferir aquellas manifestaciones que de antemano renunciaban a reproducir una realidad inabordable y fugaces psicologías individuales, porque (contra lo que suele suponerse) la literatura fantástica no es un género secundario, sino el más antiguo, pues a él pertenecen las cosmogonías y mitologías, las teorías filosóficas y las religiosas. Esa convicción fue la que lo llevó ya en los años treinta a alejarse del criollismo, aunque no atenuó su interés por la tradición cultural argentina, y en especial por la poesía gauchesca. Sobre ella reflexionaría en sus ensayos, como reflexionó sobre las traducciones de Homero y las de *Las mil y una noches*, o sobre el arte de narrar, o sobre obras y autores numerosos. Con esos pretextos había de delinear una concepción de la literatura que es única por su riqueza de ideas y sugerencias: si la obra literaria no es un reflejo ni una transcripción del mundo, es algo agregado al mundo, y no se trata de una mera estructura verbal, sino del diálogo que el texto entabla con el lector; cada lectura es una nueva recreación que descubre sentidos insospechados, derivados de la proyección personal de quien lee, de sus condicionamientos históricos y culturales; al margen del tiempo en que los textos fueron escritos e ignorante de sus autores, el lector puede abordarlos como contemporáneos entre sí, puede relacionarlos de manera que cada uno modifique la significación de los otros (inevitablemente cada autor crea a sus precursores), de modo que conocer la literatura de una época (también la del futuro, si ello fuese posible) equivale a conocer la forma de leer en ese momento. Desde esa perspectiva, el valor literario depende en buena medida del enriquecimiento derivado de las distintas lecturas.

De estos planteamientos derivan con frecuencia sus relatos y poemas, para los que es posible pretender una significación verdaderamente profunda: en su condición de hecho estético, la literatura constituye la inminencia de una revelación, que no se produce, pero que permite adivinar la existencia de una dimensión distinta. En su madurez, Borges se refirió cada vez con mayor insistencia al carácter autobiográfico de la creación literaria, que entendía también como la iluminación de una forma secreta, como el descubrimiento paulatino de algo preexistente. Sobre la condición de ese algo misterioso pueden arrojar cierta luz las consideraciones que dedicó a la metáfora, en la que inicialmente había encontrado —eran los tiempos de ultraísmo— la expresión más adecuada de «la milenaria juventud de la vida». Con esa actitud contrasta luego la de alguien cada día menos dispuesto a reconocer el valor de las novedades: una y otra vez sus ensayos descubren extrañas reiteraciones de temas y de motivos, secretas afinidades entre hechos, escritores y textos de las geografías más dispares, y surge la sospecha de que cualquier metáfora deriva de un arquetipo, de que todas podrían reducirse a unas pocas inevitables. Las consecuencias de esa intuición son decisivas: la historia universal es la historia de unas cuantas metáforas o de su diversa entonación, la pluralidad de los autores es ilusoria, la literatura es lo esencial y no los individuos.

Asociadas a la reiteración extraña de estructuras e imágenes, las referencias a un «Espíritu» productor y consumidor de literatura descubren otro significado, quizá el pretendido por Borges para su propia obra. Para apreciarlo conviene tener en cuenta un factor en apariencia bien distinto: la relación de la literatura con los sueños, en la que habían insistido el psicoanálisis y el surrealismo. Borges siempre se mostró escéptico e incluso despectivo con esa «triste mitología» de lo subconsciente, pero no dejó de advertir, con entusiasmo significativo, que «el suizo Jung, en encantadores y, sin duda, exactos volúmenes, equipara las invenciones literarias a las invenciones oníricas» (1989: II, 48), y si la literatura es equiparable a los sueños es porque los sueños y la literatura tienen su raíz última en nosotros, descubren algo oscuro que late bajo las apariencias. Más aún: si consideramos que la literatura es lo esencial, no los individuos, y que guarda un sentido su enigmática historia, abundante en imágenes reiteradas, en mitos compartidos, en simetrías o en correspondencias secretas, podemos concluir que a través de la literatura y de los sueños —ese sería el hallazgo de Jung, esa sería la convicción última de Borges— algo que se encuentra más allá de las apariencias y de la consciencia, algo apenas entrevisto, se concreta en ideas y en fábulas, se revela por medio de los símbolos, de las analogías y de los mitos. Ese algo es quizá una memoria o identidad colectiva, es lo que los judíos llamaron el Espíritu, lo que fue la Musa para los griegos y es el Subconsciente para los contemporáneos del gran escritor argentino.

En *Analecta del reloj* (1953), *La expresión americana* (1957), *Tratados en La Habana* (1958) y *La cantidad hechizada* (1970), el cubano José Lezama Lima (1910-1976) desarrolló también variadas reflexiones sobre escritores y sobre literatura, indispensables para la comprensión de su propia obra poética y narrativa. Para Lezama la poesía brota cuando se produce el encuentro entre lo incondicionado y lo causal, entre el ámbito de la unidad originaria y el hombre limitado por el espacio y el tiempo. Su sistema poético, en consecuencia, se ajusta a las exigencias del irracionalismo nacido de la crisis positivista: presupone la existencia de regiones vedadas a la razón, que además constituyen lo auténtico, ajeno a la realidad de las apariencias. Considera también que la historia ha alejado al hombre de lo Absoluto para precipitarlo en la causalidad, en la pluralidad, en las limitaciones espacio-temporales. La palabra poética —la palabra primigenia que crea y conforma los objetos, la que establece relaciones insólitas, la que se ajusta al ritmo de la respiración y del cosmos— trata de acceder al ser universal, de conquistar ese mundo superior. La poesía, en consecuencia, se concibe como un método y una fuente de conocimiento, y el poeta (el vidente, el predestinado, el profeta) es el hombre capaz de acceder al conocimiento de la realidad verdadera.

Los problemas se plantean a la hora de precisar en qué consisten tanto esa realidad como el lenguaje poético capaz de acceder a ella. Las peculiaridades de tal lenguaje no parecen difíciles de determinar: suprimido el control de la razón, las palabras en libertad permitirían el acceso a las imágenes primordiales, dejarían entrever lo ahistórico, la unidad original, a través de asociaciones imprevistas, de símbolos oscuros, de reminiscencias míticas que remiten a un inconsciente colectivo. Lo Absoluto, en consecuencia, guardaría relación con ese inconsciente, pero el deseo de trascendencia no permite a Lezama detenerse ahí: se asocia con lo sagrado, con lo numénico, con la divinidad, de manera que misticismo, esoterismo y religión confluyen en un sistema poético que busca ante todo superar la condición temporal del hombre; la inmersión en lo nocturno, en la muerte universal o en los infiernos ha de significar el acceso a la luz, la recuperación de la armonía en otra dimensión. Ésa es la función última de la poesía, creadora de espacios «hechizados», inalcanzables para el tiempo destructor.

Lezama proyectó esa voluntad de permanencia sobre su propio pasado, con la pretensión de recuperarlo para siempre, y también le fue útil para elaborar una visión personal de la historia universal y americana. Tradiciones culturales diversas manifestarían un reiterado sentimiento de la caída, de la expulsión o pérdida del reino, y una aspiración común a restituirse a la totalidad, a los orígenes, a la armonía perdida. Esas coincidencias adquirieron una significación especial cuando Lezama las interpretó desde su concepción de la imagen, manifestación del Todo a la que accede el poeta: así descubrió las «eras imaginarias», cristalizaciones de distintas épocas en torno a una imagen determinada y determinante, lo que permitía una interpretación cultural de la historia, organizada en conjuntos definidos por la acción de esa imagen sobre lo temporal histórico. Lezama distinguió nueve eras, desde la «filogeneratriz» —la de los tiempos remotos y tribus misteriosas— hasta la correspondiente a Martí y a la Revolución Cubana, y su fe católica lo ayudó a encontrar en el cristianismo las mejores posibilidades de realización de su sistema poético. No en vano, frente a la teoría heideggeriana del ser para la muerte, quería hacer de la poesía la imagen alcanzada por el hombre de la resurrección. Ésa era una posibilidad de insertar la cosmovisión analógica en la tradición cultural propia, y el gran poeta cubano encontró otra también fundamental: el arraigo del culteranismo —arte de plenitud verbal, lenguaje poético por excelencia, pasión por la metáfora— en el Nuevo Mundo se vio como un triunfo de lo incondicionado sobre lo causal, configurando el peculiar espacio barroco americano. La cosmovisión analógica se configuraba así como una alternativa propia a la ciencia y el racionalismo europeos.

Desde luego, otros autores propusieron esa alternativa de manera más evidente, aunque no más profunda, prolongando la voluntad ya antigua de encontrar nuevas definiciones para una identidad siempre fugitiva. Con esa pretensión tienen que ver en 1948 los hallazgos del «realismo mágico», por el venezolano Arturo Uslar Pietri (n. 1906), y de «lo real maravilloso de América», por el cubano Alejo Carpentier (1904-1980). El término de Uslar Pietri, utilizado en su obra *Letras y hombres de Venezuela*, recuerda el título de un libro publicado en Madrid, en 1927: *Realismo mágico. Post-expresionismo. (Problemas de la pintura europea más reciente)*, del alemán Franz Roh. Tal vez lo ignoraban los primeros en usarlo para hablar de literatura, pero lo cierto es que hizo fortuna entre los críticos desde los años cincuenta, y que ha sido notable el desperdicio de papel dedicado a determinar su significación, ajena tanto al realismo como a la literatura fantástica, y sus problemáticas relaciones con «lo real maravilloso», cuya teoría difundió Carpentier en un artículo publicado en *El Nacional* de Caracas, incluido como prólogo a su novela *El reino de este mundo* (1949), y luego, ampliado, entre sus ensayos de *Tientos y diferencias* (1966). El asunto sería trivial si no tuviese que ver con la idea de Latinoamérica que unas cuantas novelas excepcionales —las de Carpentier, entre otras— han contribuido a configurar. Al respecto no importa demasiado la discusión terminológica apuntada: parece evidente que la definición de América en función de lo real maravilloso implica una actitud mágico-realista, a no ser que se crea que la realidad «objetiva» es diferenciable de sus interpretaciones. Por otra parte, prescindiendo de los infinitos matices con que sus exégetas enriquecen la cuestión, lo comprobable es que tanto lo real maravilloso como el realismo mágico son consecuencia de la renovación que significaron las vanguardias de los años veinte, y de la idea de América que el pensamiento de la época hizo desarrollar. Entonces se trató de ver el mundo con ojos nuevos —eso fue lo que Franz Roh creyó advertir en los pintores post-expresionistas alemanes—, lo que en Latinoamérica se ajustaba al gusto «orteguiano» del momento —la propia *Revista de Occidente* había adelantado los capítulos de Roh que favorecían la concepción «irracionalista» de la realidad—, pues nada más primicial que una América joven o niña a los ojos de un Occidente en decadencia. Luego esa América aumentaría su sortilegio a medida que el surrealismo impulsaba la búsqueda de lo maravilloso, extendiendo los dominios del arte hacia los ámbitos de lo irracional, con la supresión de las trabas de la razón, con la indagación de los dominios del sueño y del subconsciente.

En efecto, desde que llegó a París en 1928, Carpentier trabó una estrecha relación con los surrealistas, que le descubrieron los derechos de la magia y estimularon su antiguo interés por realidades ajenas a la razón y a la lógica. Los numerosos artículos que publicó a partir de 1924, sobre todo en las revistas *Social* y *Car-*

teles de La Habana, constituyen un excepcional testimonio de la evolución que lo llevó al hallazgo de «lo real maravilloso americano». Puede considerarse que un americanismo renovado nace en la capital francesa hacia 1930, cuando coinciden allí, entre otros escritores latinoamericanos, Uslar Pietri, Carpentier y el guatemalteco Miguel Ángel Asturias (1899-1974). Desde luego, el famoso artículo antes mencionado manifiesta una radical oposición al surrealismo, precisamente porque su autor pretendía señalar ahora la artificiosa pretensión de suscitar lo maravilloso por parte de la literatura europea reciente. También demostraba su voluntad de evitar el realismo —identificado con «los lugares comunes del literato "enrolado" o el escatológico regodeo de ciertos existencialistas» (1974: 97)—, y la América entera se le revelaba como un ámbito en que lo maravilloso era real: lo probarían su paisaje, sus ritos, sus danzas, sus mitos y su historia. América se convirtió así en un mundo «verdaderamente» surrealista, en la concreción de una utopía que anulaba las distancias entre la historia y el mito. Carpentier, que alguna vez recordó las tendencias alternativas que Spengler imaginara para el arte, mostró muy pronto sus preferencias por «el alma fáustica», «anhelante de libertad, de infinito y de misterio», frente al «alma apolínea», «apegada a la forma y a la exactitud» (1976: II, 254), y entendió que la primera guardaba relación con los indios y negros de América, con las peculiaridades de aquel mundo joven, necesariamente ajeno a la historia y habitado por leyendas ancestrales.

El hallazgo de lo real maravilloso americano fue decisivo para la configuración de una de las más persistentes visiones contemporáneas de Iberoamérica. Carpentier enriqueció su teoría en otros muchos trabajos, entre los que destacan tal vez el titulado *La música en Cuba* (1946), prueba excelente de su condición de musicólogo y de su interés por los rituales de origen africano, y los reunidos en *Tientos y diferencias* (1964). Entre éstos figura el titulado «Problemática de la actual novela latinoamericana», donde desarrolló su teoría de los «contextos» —raciales, económicos, ctónicos, políticos, burgueses, de distancia y proporción, de desajuste cronológico, culturales, culinarios, de iluminación e ideológicos— que el novelista había de tener en cuenta para contribuir a la definición de lo latinoamericano, pues no en vano la novela era para él un instrumento de indagación en hombres y en épocas. También se refirió a las peculiaridades de un estilo destinado a reproducir verbalmente esos contextos, derivado de la necesidad de nombrar las cosas: «El legítimo estilo del novelista latinoamericano actual es el barroco» (1974: 33), pudo concluir, y eso habla sobre todo de su propia obra narrativa.

Las propuestas de Uslar Pietri o de Asturias son similares, aunque permitan también explicar obras narrativas muy personales. Los ensayos del primero, reunidos en varios volúmenes —entre ellos se cuentan *Las nubes* (1956), *En busca del Nuevo Mundo* (1969), *Vista desde un punto* (1971), *La otra América* (1974), *Fantasmas de dos mundos* (1979), *Godos, insurgentes y visionarios* (1986)—, abordan temas muy diversos, pero quizá debe resaltarse que también insistió en mostrar las diferencias entre un surrealismo otoñal y la realidad peculiar de Latinoamérica. Esa realidad es la que encontró su mejor manifestación literaria en el realismo mágico de Carpentier o de Asturias, o en el suyo propio, más orientado a buscar en la historia las características y la razón de la identidad hispanoamericana. Uslar Pietri ha prestado especial atención a las crónicas que constituyeron la creación verbal de América, a las utopías que configuraron su ser desde antes del descubrimiento, a los personajes que determinaron su pasado, al mestizaje que da a su cultura una personalidad peculiar, al papel que juega y puede jugar en el mundo contemporáneo. También Asturias se hizo eco de esas preocupaciones, sin olvidar nunca que él había hecho del indígena una de sus preocupaciones fundamentales —*El problema social del indio* (1923) fue la tesis de «sociología guatemalteca» que presentó en la Universidad Popular de Guatemala—, y había asociado el realismo mágico con la América autóctona de las culturas precolombinas. Algunos de sus ensayos y crónicas periodísticas terminaron reunidos en *Arquitectura de la vida nueva* (1928), *Rumania, su nueva imagen* (1964), *Latinoamérica y otros ensayos* (1968) y *América, fábula de fábulas, y otros ensayos* (1972).

No todos los escritores hispanoamericanos desdeñaron las aportaciones del surrealismo en aras del americanismo literario. El argentino Julio Cortázar (1914-1984) las aprovechó sin duda en su pretensión de conquistar otros territorios, una dimensión que para él también dejaban entrever coincidencias extrañas y asociaciones insólitas. Su búsqueda se concretó sobre todo en su obra narrativa, pero también en algunos «ensayos» muy personales, como los incluidos en *La vuelta al día en ochenta mundos* (1967) y *Último round* (1969). Menos optimista es el mundo del también argentino Ernesto Sábato (n. 1914), cuya obra de ensayista —*Uno y el universo* (1945), *Hombres y engranajes* (1951), *Heterodoxia* (1953), *El escritor y sus fantasmas* (1963) y *Apologías y rechazos* (1979) son quizá los títulos fundamentales— otra vez prolonga y justifica la del narrador. Su formación científica parece reforzar el significado de su rechazo de la ciencia, incapaz de garantizar un conocimiento que no sea provisional, alejada de la realidad del hombre que sufre y muere, impulsada por una concepción del progreso que amenaza con producir desastrosas consecuencias. Por otra parte, la búsqueda de la verdad o del conocimiento no sólo constituye para Sábato una interpretación subjetiva de la realidad «exterior», sino también y sobre todo una indagación, siquiera indirecta, en el propio sujeto, en la condición humana, a la que la razón y la ciencia —responsables en buena medida de su degradación— son incapaces de acceder. Las aportaciones del surrealismo se funden con las del psicoanálisis y con las del pensamiento existencialista al realizar esa indagación, que tampoco resulta esperanzadora: permite descubrir que, más allá de las circunstancias históricas —las que en la actualidad determinan la deshumanización y en cualquier época los horrores correspondientes—, en lo profundo del hombre se oculta el Mal que extiende sus tentáculos sobre la tierra y hace insuperables la alienación y el desamparo.

Eso no impide que Sábato apueste por la lucha, por una rebelión existencial dirigida a eliminar algunos factores determinantes de la deshumanización contemporánea. Si sus ensayos son una justificación de su narrativa es porque en buena medida han servido para defender la novela «metafísica»: la novela ocupada en la indagación de los enigmas de la vida y de la muerte, de la esperanza y la desesperación, de la búsqueda de lo absoluto y de la existencia de Dios. Para Sábato se hizo evidente la superioridad del arte sobre la ciencia al tratar de dar respuesta a esos interrogantes que la humanidad se ha planteado sobre su destino a lo largo de los siglos. El arte y la literatura se constituyen en formas de conocimiento porque son capaces de mostrar lo contradictorio e insensato de la existencia humana, son posibilidades de recuperar lo subjetivo, lo emocional, lo sentimental, son manifestaciones de esa rebelión antirracionalista y anticientífica que parece el signo de nuestra época. En último término se trataría de lograr lo que ni siquiera la filosofía —que «por su misma esencia conceptual no puede sino recomendar conceptualmente la rebelión contra el concepto mismo, de modo que hasta el propio existencialismo resulta una suerte de paradójico racionalismo» (1981: 20)— ha conseguido: realizar la síntesis del hombre disgregado, conjugar las ideas con las pasiones, lo objetivo y lo subjetivo, lo diurno y lo nocturno, la conciencia y la inconsciencia, el yo y el mundo. La novela debe recuperar para el hombre la integridad de un tiempo remoto, cuando la poesía, la filosofía y la magia constituían una única manifestación del espíritu en busca de respuesta sobre su destino y de conocimiento sobre el cosmos. Eso significa para Sábato indagar en el Mal, porque «el hombre real existe desde la caída. No existe sin el Demonio: Dios no basta» (1981: 184).

Si el mito y la ficción —y no el pensamiento puro— descubren la realidad profunda del hombre, pueden revelar también la de los pueblos. Sábato trató de profundizar en el alma atormentada que caracterizaría a los argentinos —nacidos entre la nostalgia de otras tierras—, sumándose así a la indagación en la identidad nacional que Erro y Mallea habían hecho ya en términos relacionables con el pensamiento existencialista, difundido en el país desde los años treinta. Muchos otros escritores compartieron esos planteamientos, y entre ellos hay que recordar al menos a Héctor H. Murena (1923-1975), que en *El pecado original de América* (1954) realizó uno de los mejores y menos optimistas análisis de la realidad moral argentina. Sus compatriotas eran la Europa desterrada, los expulsados del paraíso. Alienado o desposeído, el hombre americano está fuera de la historia y busca su lugar en un mundo ajeno. Otra vez se analizan los subterfugios que permiten encubrir el terror de no ser, otra vez se plantea la necesidad de afrontar la soledad para buscar una salida. Sólo el parricidio intelectual promete una posibilidad de afirmación en aquellas tierras, lo que llevaría aparejado el nacimiento de un espíritu nuevo, propicio a la comunión final con todos los hombres.

La indagación en la identidad nacional también ha ocupado con frecuencia al mexicano Octavio Paz (n. 1914). La convicción de que había una realidad auténtica que descubrir se proyecta sobre la historia y el presente de México en *El laberinto de la soledad* (1950), donde la Revolución se configura definitivamente como el momento en que «el pueblo mexicano se adentra en sí mismo, en su pasado y en su sustancia, para extraer de su intimidad, de su entraña, su filiación» (1972: 133). Frente a esas posibilidades de inmersión en la esencia de lo mexicano, quedaba otra vez patente la pobreza del racionalismo y del positivismo.

En consecuencia, Paz se sumaba a los convencidos de que ciertas constantes fundamentales se ocultan tras los fenómenos, de modo que la indagación en la esencia de un pueblo equivale a percibir lo que esas apariencias ocultan o revelan. En *El laberinto de la soledad* habló de un hombre mexicano arrancado de la vida original por la conquista o por la independencia, de las máscaras que desde entonces adoptó para defenderse, de un sentimiento de orfandad que relacionó con la violación de la india por el conquistador, del pasado cultural indígena y español, de la sucesión de proyectos o palabras que trataron de modificar la realidad y casi siempre la falsearon, de la condición periférica de los mexicanos en el contexto económico occidental y sus consecuencias. Desde esa condición periférica, que era la de Latinoamérica y la de la mayor parte del planeta, creyó posible el salto hacia la universalidad de un desconcierto compartido, tras el derrumbe general de la Razón y de la Fe, de Dios y de la Utopía: «Estamos al fin solos —fue su conocida conclusión—. Como todos los hombres. Como ellos, vivimos el mundo de la violencia, de la simulación y del "ninguneo": el de la soledad cerrada, que si nos defiende nos oprime y que al ocultarnos nos desfigura y mutila. Si nos arrancamos esas máscaras, si nos abrimos, si, en fin, nos afrontamos, empezaremos a vivir y a pensar de verdad. Nos aguardan una desnudez y un desamparo. Allí, en la soledad abierta, nos esperan las manos de otros solitarios. Somos, por primera vez en nuestra historia, contemporáneos de todos los hombres» (1972: 174).

Así quedaba planteada una relación dialéctica entre soledad y comunión que a veces recuerda las propuestas de otros pensadores del momento, como Erro y Mallea. Paz superaba de ese modo el nacionalismo riguroso que había dominado en su país, e insertaba al mexicano en la historia contemporánea, según las condiciones determinadas por el pensamiento existencial de la época. Los ensayos sobre literatura y arte que publicó después —los libros más o menos orgánicos que tituló *El arco y la lira* (1956), *Las peras del olmo* (1957), *Cuadrivio* (1965), *Puertas al campo* (1966), *Corriente alterna* (1967), *El signo y el garabato* (1973) y *Los hijos del limo* (1974)— descubren preocupaciones similares: no en vano al concluir *El laberinto de la soledad* se había referido a la Fiesta, al Mito, al Amor y a la Poesía como posibilidades de superar las limitaciones del tiempo sucesivo, de acceder a la participación y a la vida verdadera. Tanto su obra poética como sus reflexiones teóricas insistían antes y ahora en referirse al hombre contemporáneo como una víctima de la soledad y de la enajenación , y apelaban a la pasión —en el amor se fundirían la vida y la muerte, la necesidad y la satisfacción, el sueño y el acto— como una solución integradora, capaz de conjurar los peligros del conocimiento racional, científico o técnico, asociado a la obsesión de poder, a la actitud de dominación. Esa conjugación de planteamientos existencialistas con soluciones derivadas del surrealismo —evidente sobre todo en la versión inicial de *El arco y la lira*, y resultado de la residencia de Paz en París entre 1945 y 1953— determina para siempre la preferencia por quienes hubiesen hecho de la poesía una experiencia verbal y espiritual en busca de la unidad perdida. Creyó encontrarlos sobre todo entre los románticos ingleses y alemanes, y luego entre los simbolistas franceses, y finalmente en los surrealistas. Las carencias de la tradición hispánica, en cuyo romanticismo «falta la conciencia del ser dividido y la aspiración hacia la unidad» (1969: 14), habrían sido remediadas por el modernismo, que ganó para la poesía en castellano la condición visionaria de la verdadera poesía romántica, su carácter de revelación, el pensamiento de que la realidad es una constelación de símbolos, la exaltación de la imaginación creadora como la facultad más elevada del entendimiento humano. Ésas serían las características de la verdadera poesía, posibilidad de conocimiento o de salvación, de revelar el mundo y de modificarlo, de alcanzar la comunión universal. En consecuencia, puede deducirse que el modernismo fue para la tradición literaria del XIX hispánico lo que fue la Revolución Mexicana para México: una rebelión contra el racionalismo impuesto por la Ilustración, que significó la instauración del reino de la máscara, del imperio de la mentira, de la corrupción del lenguaje. El positivismo habría sido apenas una manifestación renovada del racionalismo, aunque con alguna consecuencia encomiable: hizo la crítica de la religión tradicional y de ese modo posibilitó la crisis de las conciencias de la que surgiría el irracionalismo contemporáneo.

La poesía pudo transformarse así en la otra religión de nuestro tiempo —desde esa perspectiva se hace en *Los hijos del limo* (1974) el análisis de la tradición romántica y de sus consecuencias—, en una revolución que busca el origen, y al buscarlo lo constituye. Porque participa de esas cualidades, la literatura hispanoamericana es regreso y búsqueda de una tradición que al buscarse se inventa. Esa literatura de fundación, y a la vez de desvelamiento perpetuo, demuestra el compromiso del escritor con su sociedad, y sobre las esperanzas depositadas en esa actividad literaria responsable puede percibirse una notable evolución: el mundo hostil inicial parece disolverse en los años sesenta, a medida que Paz ha enriquecido su lectura personal del surrealismo con las posibilidades que le abren tanto la antropología estructuralista como el pensamiento oriental, según quedó de manifiesto en *Claude Lévi-Strauss o el nuevo festín de Esopo* (1967) y *Conjunciones y disyunciones* (1969). Los intereses fundamentales no han variado: tanto en los mitos como en la cultura índica Paz hallaba visiones del mundo ajenas al alienante racionalismo de Occidente, y eso le ayudaba a fundamentar la fe en la viabilidad de su proyecto integrador a través de la poesía, cuya vindicación —más que su teorización rigurosa— ha sido quizá la obsesión fundamental que determina su obra. En Lévi-Strauss encontró lo que estaba buscando: la universalidad de las estructuras y los arquetipos míticos, que garantizaba la universalidad de su propia cultura, inserta en un complejo sistema de signos y símbolos. Al funcionamiento de ese sistema había de dedicar insistentemente su atención, no siempre con optimismo: con frecuencia pudo ver en la historia un cementerio de signos vacíos, y sentir que «en nuestro tiempo, lo mismo en la esfera de la literatura y el arte que en las de la moral, la política y el erotismo, asistimos no tanto a un desvanecimiento de los signos como a su transformación en garabatos: signos cuyo sentido es indescifrable o, más exactamente, intraducible» (1975: 7).

Además de los citados, otros volúmenes integran la obra ensayística de Octavio Paz: en *La búsqueda del comienzo (escritos sobre el surrealismo)* (1974) pueden hallarse reunidas sus reflexiones en torno a esa manifestación de la vanguardia artística y literaria; en *Marcel Duchamp o el castillo de la pureza* (1968) —luego *Apariencia desnuda: la obra de Marcel Duchamp* (1973)—, su análisis de ese pintor francés; en *Posdata* (1973) reanudó sus reflexiones sobre México, y en *El ogro filantrópico* (1979) se encuentran sus opiniones sobre cuestiones históricas y políticas; en *In/mediaciones* (1979), *Tiempo nublado* (1983), *Sombras de obras* (1983) y *Hombres de su siglo* (1984), entre otros títulos, multiplicó sus comentarios sobre temas culturales y literarios, y en este aspecto tal vez destaca *Sor Juana Inés de la Cruz o las trampas de la fe* (1982), un excepcional estudio sobre la aún más excepcional escritora novohispana. En *Pasión crítica* (1985) se encuentran reunidas algunas conversaciones o entrevistas, y en *Primeras letras* (1988) una selección de escritos de su primera época, de 1931 a 1943.

La indagación en lo mexicano realizada en *El laberinto de la soledad* estimuló tal vez la realización de otras exploraciones, como *Análisis del ser mexicano* (1952), de Emilio Uranga (n. 1921), y *Mito y magia del mexicano* (1952), de Jorge Carrión (n. 1925). Por otra parte, la huella de Octavio Paz es indudable en Carlos Fuentes (n. 1928), quien en *París, la revolución de mayo* (1968) comentó los sucesos que por unos días parecieron constituir la realización de una utopía libertaria, y en *Tiempo mexicano* (1972) reunió algunos escritos de tema social o político, que en buena medida no son sino otra indagación en la identidad nacional. Sus reflexiones sobre la literatura pueden encontrarse sobre todo en *La nueva novela hispanoamericana* (1969), *Casa con dos puertas* (1970) y *Cervantes o la crítica de la lectura* (1976), y conviene resaltar la importancia del primero de estos libros, donde se refirió a los hallazgos de la narrativa hispanoamericana de los últimos años: a la renovación del lenguaje y de los procedimientos, con el objetivo de desmantelar los viejos esquemas políticos, geográficos, étnicos, culturales o literarios. Con la pretensión de justificar el papel del escritor, Fuentes insistió en la dimensión revolucionaria de su tarea —para poner fin al orden precedente, jerárquico y opresor, había que terminar con el lenguaje que lo había justificado— y, con objeto de dotar de una dimensión profunda a la nueva novela —él fue en buena medida responsable del famoso *boom* de los años sesenta: le dio coherencia, tal vez lo inventó—, la convirtió en manifestación por excelencia del pensamiento mítico, capaz de resolver de una vez por todas los problemas relacionados con la identidad americana: cuando se penetra en los estratos profundos de lo real (más allá de la realidad aparente), inevitablemente se produce el encuentro con algo que es ajeno al espacio y el tiempo, con estructuras y arquetipos que ignoran las peculiaridades de los países y de los hombres. Seguro de las relaciones del mito con la literatura, las encontró confirmadas en obras diversas, a veces tan próximas como *Pedro Páramo*, novela con la que su compatriota Juan Rulfo habría hecho renacer la imaginación mítica en suelo mexicano, incorporando la temática autóctona del campo y de la Revolución a un contexto universal.

En *Cervantes o la crítica de la lectura* puede hallarse una explicación sobre el alcance pretendido para su novela *Terra nostra* (1975), y también una nueva reflexión sobre la identidad mexicana, esta vez para señalar la necesidad de aceptar una particular herencia española: la que representa sobre todo *El ingenioso hidalgo don Quijote de la Mancha*, la novela inmortal que había propuesto una manera crítica y contradictoria de leer el mundo, representación máxima de una tradición que podía ser a la vez tolerante y transgresora, y apta en consecuencia para rescatar el tiempo perdido bajo el odio y la intolerancia. La literatura demostraba así una vez más su condición salvadora y trascendente, y servía a Fuentes para volver sobre sus obsesiones: la invención y la violación de América, la recuperación del pasado perdido, las relaciones de la cultura americana con la europea y con la española. En último término, como siempre, se plantea el problema de una identidad mestiza que trata de conquistarse para el presente y para un futuro incierto, tal vez amenazado por un no lejano apocalipsis atómico.

Paz y Fuentes fueron quizá los representantes más destacados de una intelectualidad hispanoamericana que en los años sesenta y primeros setenta pareció decidida a hacer la revolución cultural. No fueron los únicos, desde luego, y merecen recordarse al menos los nombres de otros narradores de prestigio, como el peruano Mario Vargas Llosa (n. 1936), de quien cabe destacar los ensayos que tituló *Gabriel García Márquez: historia de un deicidio* (1971) y *La orgía perpetua. Flaubert y Madame Bovary* (1975), y el cubano Severo Sarduy (n. 1937), que en *Ensayos generales sobre el barroco* (1987) ha reunido, junto a alguna reflexión inédita hasta esa fecha, los libros que antes había titulado *Escrito sobre un cuerpo* (1969), *Barroco* (1974) y *La simulación* (1982). Próximos a su obra narrativa, los de Vargas Llosa, aunque hablan de otros escritores, elaboran una poética personal que trata de mantenerse próxima a los demonios del autor y a los problemas de su época. Otro tanto puede decirse de Sarduy, pero esta vez para retomar planteamientos que vienen de Borges, de Lezama Lima o de Octavio Paz, y que se radicalizan —con la ayuda de estructuralistas y semiólogos— en busca de una escritura polivalente y elíptica, que cuestiona los lenguajes dominantes desde su condición marginal, que los celebra y parodia a la vez, tratando en este caso ya no de recuperar una unidad o un centro, sino de encubrir el vacío. Ésa sería la conclusión fundamental: no hay un saber del origen, porque no hay origen o es inalcanzable. Sarduy hizo de esa conclusión un arma para subvertir el orden establecido, y también una perspectiva desde la cual la cubanidad se conformaba como una escritura barroca, como una sucesión o conjunción de máscaras —africana, española, china— que configuran un espacio inestable y sin centro.

Eso significa que las preocupaciones por la identidad nacional o americana, lejos de perder actualidad, se reiteran una y otra vez adoptando formulaciones renovadas y a menudo complejas. Desde luego, en muchas ocasiones se han manifestado de forma directa y explícita, y al respecto no pueden ignorarse aportaciones notables de otros escritores, como el gran poeta ecuatoriano Jorge Carrera Andrade (1903-1978), casi siempre viajero —en *Latitudes* (1934) y *Viajes por países y libros* (1961) recoge en parte esas experiencias—, y sin embargo tan próximo a su tierra natal como demuestran su *Retrato cultural del Ecuador* (1965) y su autobiografía *El volcán y el colibrí* (1970); o como el guatemalteco Luis Cardoza y Aragón (n. 1904), quien, como Asturias y Carpentier, se sirvió del vanguardismo para una mejor comprensión del mundo americano, y dejó un análisis comprometido y profundo de su país en *Guatemala, las líneas de su mano* (1955). La dura realidad latinoamericana encontró en ocasiones quien la abordase sin rodeos, y una de las pruebas es el ensayo *Lima la horrible* (1964), donde el peruano Sebastián Salazar Bondy (1924-1965) desarrolló una exploración de la capital que era un análisis de los problemas de su país, extraviado en la nostalgia del pasado e ignorante de la desesperación que agobiaba a la mayoría de la población.

La historia reciente dejaba sus huellas en los escritos de unos y de otros. Entre los sucesos decisivos que vivió la época, ninguno tuvo mayor repercusión que la Revolución Cubana, que permitió a algunos salir del pesimismo existencialista para reencontrar la esperanza en la historia. Ése fue el caso del uruguayo Mario Benedetti (n. 1920), autor de libros de ensayos como *El país de la cola de paja* (1960) y *Crónica del 71* (1972). Entre las obras que de un modo u otro derivan de esa circunstancia quizá una merece especial atención: *Calibán. Apuntes sobre la cultura en nuestra América* (1971), del cubano Roberto Fernández Retamar (n. 1930). Los personajes de Shakespeare reaparecen con una significación nueva: Fernández Retamar opta por Calibán —el caníbal, el caribe—, que ya no es el materialismo anglosajón, sino el hombre de América, utilizado por Próspero —el civilizado, el intelectual, el burgués— en provecho exclusivo de sus intereses. La lectura personal que se hace de Rodó y de otros escritores hispanoamericanos importa menos que la actitud adoptada frente al pasado y el presente: esa actitud implica la vindicación —muy extendida por las fechas en que se publica el ensayo— de la barbarie frente a la civilización, de la vida frente a la razón y la ciencia, del mito frente al logos, de las culturas autóctonas frente a la cultura europea. Lo que está en juego es el derecho a existir, aun al margen de una historia que no es la historia propia, asumiendo una marginalidad que deja de serlo en cuanto se prescinde de un centro lejano e impuesto. En Fernández Retamar es evidente la voluntad de eliminar cualquier forma de dependencia o de dominación, y lo es también la pretensión de dar a sus planteamientos un enfoque marxista. Tal vez no hacía sino reiterar a su modo la búsqueda incesante de la fugitiva identidad latinoamericana. Tal vez todo quedó dicho cuando Martí prescindió del dilema entre civilización y barbarie para oponer la falsa erudición a la naturaleza. Desde entonces se han sucedido incesantes los intentos de definir esa naturaleza, de quitar las máscaras que encubren el verdadero rostro de América Latina, ajeno a una civilización y a una historia impuestas por las metrópolis de cada hora.

10. PARA CONCLUIR

La redacción de las páginas precedentes ha exigido afrontar algunas dificultades. Entre otras, la selección de los escritores dignos de tenerse en cuenta, a veces de problemática relación con la literatura. Eso ha dado lugar a arbitrariedades aparentes o reales: he mencionado a Antonio Caso, y no he hecho otro tanto con el argentino Alejandro Korn (1860-1936) o con el uruguayo Carlos Vaz Ferreira (1873-1958); me he referido a Samuel Ramos, y no al argentino Francisco Romero (1891-1962) y a otros destacados representantes del pensamiento hispanoamericano contemporáneo. Filósofos unos y otros, he preferido omitir a quienes no resultaban estrictamente necesarios a la hora de trazar este panorama de la evolución del ensayo literario, y lo mismo he resuelto cuando se invadían los campos de la historia, de la sociología o de otros ámbitos de conocimiento.

Las dificultades se acrecentaron especialmente al tratar de dar cuenta de los ensayos dedicados al estudio de la literatura, que tuvo en Andrés Bello y en Juan María Gutiérrez a sus primeros representantes destacados. Es indudable que la crítica literaria ha desempeñado un papel fundamental en el descubrimiento de una tradición cultural propia y en su consolidación, y a ese respecto debe quedar constancia de que fueron notables las aportaciones de los argentinos Paul Groussac (1848-1929), Roberto Giusti (1887-1978) y Rafael Alberto Arrieta (1889-1968), como las de la puertorriqueña Concha Menéndez (1895-1981) y el ecuatoriano Benjamín Carrión (1897-1979), o las del chileno Ricardo A. Latcham (1903-1965), y el uruguayo Alberto Zum Felde (1889-1976), y los ya citados Luis Alberto Sánchez, Jorge Mañach o Juan Marinello, entre otros muchos. La preocupación por la identidad americana fue un estímulo para su tarea, que encontró continuadores innumerables y en muchos casos ajenos a esas preocupaciones. En los últimos tiempos los trabajos sobre la literatura hispanoamericana han proliferado extraordinariamente, revelando con frecuencia una inusitada atención hacia las tendencias críticas de moda. Eso no ha impedido la aparición de estudiosos tan notables como los uruguayos Emir Rodríguez Monegal (1921-1985) y Ángel Rama (1926-1983), por citar a algunos entre los más ilustres y ya fallecidos.

Muchos de los críticos mencionados fueron también ensayistas en el más amplio (y ajustado a la vez) sentido del término, y la nómina de los que contribuyeron a la riqueza del género aún podría ampliarse; es de justicia recordar al mexicano Martín Luis Guzmán (1887-1977), que dejó un excepcional testimonio de la historia contemporánea de su país en *La querella de México* (1915), *El águila y la serpiente* (1928), *Memorias de Pancho Villa* (edición completa de 1951) y otros muchos escritos; y a la argentina Aurora Ocampo (1890-1979), directora de la revista *Sur* y cuyos *Testimonios* (diez series, publicadas entre 1935 y 1977) son los de alguien que vivió intensamente la cultura de nuestro siglo y conoció de cerca a no pocos de sus protagonistas; y a Salvador Novo (1904-1974), otro mexicano, sobresaliente en las «minucias de buen gusto» que culminaron tal vez en los volúmenes que tituló *En defensa de lo usado y otros ensayos* (1938) y *Nueva grandeza mexicana* (1946); y a la chilena Gabriela Mistral (1889-1957), que dispersó en numerosos artículos y cartas su mensaje americanista y en buena medida su autobiografía, y a su compatriota Pablo Neruda (1904-1973), que dejó la suya en *Confieso que he vivido* (1974) y en el también póstumo *Para nacer he nacido* (1978); y al colombiano Eduardo Caballero Calderón (n. 1910), que con *Suramérica, tierra de hombres* (1942) y *Americanos y europeos* (1957) ha contribuido a la incesante indagación sobre Latinoamérica y sobre cada país latinoamericano. Otros ejemplos: los del puertorriqueño Antonio S. Pedreira (1899-1939), que en *Insularismo* (1934) trató de definir el alma de su pueblo, y el paraguayo Juan Natalicio González (1897-1972), autor sobre todo de *Proceso y formación de la cultura paraguaya* (1938) y *El Paraguay y la lucha por su expresión* (1945). La reiterada pretensión de definir la identidad americana no implica monotonía. Como habrá podido advertirse, en torno a esa búsqueda se desarrolla un pensamiento variado en matices: tan variado como el pensamiento occidental, cuyas manifestaciones más relevantes difícilmente han dejado de producir en Hispanoamérica versiones autóctonas.

La historia no termina aquí: la han enriquecido ensayistas más jóvenes, como los mexicanos Juan García Ponce (n. 1932), Gabriel Zaid (n. 1934) y Carlos Monsiváis (n. 1938), como el uruguayo Eduardo Galeano (n. 1940), como los argentinos Juan José Sebreli (n. 1930) y Blas Matamoro (n. 1942). Ellos demuestran la vitalidad de un género especialmente atento a las preocupaciones sociales, políticas y culturales de cada hora.

ANÁLISIS

1. Introducción

En las páginas siguientes se pueden ver dos comentarios, un poco menos apresurados, sobre cuestiones de gran interés para la literatura y el pensamiento contemporáneos de Latinoamérica. La primera de esas reflexiones fue redactada inicialmente con ocasión del «Congreso Internazionale Alejo Carpentier» que se celebró en Catania entre el 2 y el 6 de diciembre de 1985. Ahora he tratado, quizá sin éxito, de mejorar aquel texto, y al menos he prescindido de cierta agresividad innecesaria que caracterizaba a la versión original, titulada «En torno a lo "real maravilloso": eficacia y limitaciones del americanismo literario», y de publicación tal vez inevitable en las prometidas actas del mencionado congreso. En segundo lugar, me ocupo de uno de los aspectos más sugestivos del sugestivo pensamiento de Octavio Paz.

2. Sobre Alejo Carpentier y lo «real maravilloso» americano

Las teorías de Carpentier sobre Latinoamérica y sobre su literatura han sido ya objeto de comentarios innumerables, en sí mismas y, sobre todo, en relación con la obra narrativa del escritor cubano. Esta reflexión sólo se ocupará de las ideas que confluyen en «Lo real maravilloso de América», el artículo publicado el 18 de abril de 1948 en *El Nacional* de Caracas, y apenas pretende explicarlas en relación con algunas corrientes de pensamiento fundamentales en este siglo. Tal vez es innecesaria, pero de alguna manera la justifican ciertas admiraciones atolondradas que encontraron y aún encuentran en esa teoría la demostración de una verdad incuestionable. Sirva de muestra (con la ventaja de que es anónima) este fragmento de la «Nota del editor» que sirve de introducción a *La novela latinoamericana en vísperas de un nuevo siglo y otros ensayos*: «Carpentier nos enseña a percibir de esta manera lo real maravilloso, lo barroco de nuestra realidad, descubriéndonos así no sólo una manera de ver lo que antes quedaba opacado por una visión ajena de nuestro propio mundo, sino también una manera de nombrarlo, con lo que nos abre la posibilidad de apropiárnoslo y tomar conciencia de una lucha por la liberación que cada día adquiere formas más auténticas, más espontáneas y por lo tanto más efectivas» (Carpentier, 1981: 1). Esas pocas líneas resumen con acierto las tesis del escritor sobre Latinoamérica, pero de sus aportaciones a una visión «auténtica», libre de interferencias «ajenas» —vale decir «europeas»— hablan, quizá de forma indirecta, las consideraciones que siguen.

El primer punto de interés —el más evidente y sin duda el más analizado— radica en las relaciones de Carpentier con el movimiento surrealista francés, objeto principal de sus críticas negativas. Como es sabido, la intuición de la realidad auténtica de América sobrevino al escritor durante su visita a Haití, en 1943, a la vista de las ruinas de Sans-Souci y de la Ciudadela La Ferrière, recuerdos del reinado de Henri Christophe. Su ilimitada capacidad para el asombro ya se había manifestado con frecuencia —alguna vez ante las peculiaridades arquitectónicas de Cuenca o de Toledo—, pero ahora «el nada mentido sortilegio» de las tierras haitianas dio lugar a una iluminación instantánea, factor desencadenante de las reflexiones que luego habían de contraponer la autenticidad (la «verdad») de la realidad «maravillosa» de América al artificio o la falsedad de las recientes manifestaciones del arte europeo, empeñadas en producir o suscitar lo maravilloso por procedimientos diversos. Carpentier conocía bien las experiencias surrealistas, puesto que las había compartido por algún tiempo, pero ya quedaba lejano el entusiasmo de sus primeros meses en París, cuando se refería —en «La extrema avanzada. Algunas actitudes del surrealismo», artículo publicado en la revista *Social* en diciembre de 1928— al «admirable» *Manifiesto* de André Breton, a «los secretos de un arte mágico, cuyo descubrimiento constituye el hecho poético más importante que haya tenido lugar desde la evasión literaria de Rimbaud» (1976: I, 106). Había sido testigo de las diferencias surgidas entre los protagonistas del movimiento, y en 1930, en un artículo titulado «El escándalo de *Maldoror*» —apareció el 20 de abril, en la revista *Carteles*—, dio temprana cuenta de la publicación del manifiesto «Un cadáver», que denunciaba las actitudes dictatoriales de Breton, y de otros incidentes. En el único número de la revista *Imán*, de la que fue jefe de redacción, Carpentier recogió al año siguiente algunas colaboraciones de los disidentes, que permiten seguir la ruidosa polémica. Entre ellas sobresale la titulada «Lautréamont», en la que su amigo Robert Desnos cuestionaba la imagen que el surrealismo ortodoxo había forjado de su supuesto precursor, lo que de algún modo equivalía a la descalificación del movimiento. Allí pueden encontrarse ya los reproches al surrealismo académico que luego repetirá Carpentier, quien nunca negó esa deuda: «Desnos —recordaría muchos años más tarde— no admitía que un movimiento nacido de la magnífica iconoclasia de Dadá se fuese transformando en una especie de "carbonarismo" poético, sociedad secreta y exclusiva, dotado de consignas y santos y señas, donde un investido de poderes tuviese facultad plena para dictar exclusiones y usar un permanente derecho de excomunión» (1974: 77).

No son esas las únicas relaciones que pueden establecerse entre los disidentes del surrealismo francés y el escritor cubano. Curiosamente, ellos parecen orientar el interés hacia el mundo americano, o contribuyen a que se acentúe. En la revista *Imán* publicó Carpentier una encuesta sobre «El conocimiento de América Latina», y la comentó en el artículo «América ante la joven literatura europea» (*Carteles*, 28 de junio de 1931). Con sorpresa (al menos aparente), constataba que, «una vez situados ante nuestro continente, estos escritores adoptan, en su mayoría, una actitud francamente antieuropea». Las respuestas recogidas confirmaban esa impresión, y tal vez merecen recordarse las opiniones de Philippe Soupault —«soy de los que no temen afirmar que el espectáculo ofrecido por Europa, actualmente, es el de una decadencia»—, de Nino Frank —«América Latina puede tener entre sus manos el porvenir del mundo, su rejuvenecimiento y su opulencia»—, de Robert Desnos —«tengo la certidumbre de que esa efervescente tierra virgen y fértil, será el teatro de acontecimientos formidables en la evolución del estado social del mundo»—, de Ribemont-Desseignes —«América Latina puede estar bien segura que vivirá más allá del plazo asignado al pavoroso monumento social que constituyen los Estados Unidos»—, o de Michel Leiris, para quien «la misión histórica de América Latina sería la de compensar en el mundo la influencia de los Estados Unidos» (1976: II, 477-483). En todos los casos las opiniones no son demasiado explícitas en lo que se refiere a América Latina, de la que poco o nada parecen saber los encuestados —precavidos, coinciden en reservar para un futuro indeterminado el papel histórico de ese mundo aún joven—, pero dicen mucho sobre el malestar europeo ante una civilización capitalista y burguesa que ha encontrado en los Estados Unidos su manifestación más excepcional y alarmante, y que parece próxima a su fin. Desde luego, eso era un lugar común del surrealismo —el mundo occidental estaba condenado a muerte, según opinión o dictamen de André Breton—, y del pensamiento europeo de la época, que plasmó en *La decadencia de Occidente* de Oswald Spengler y en otros muchos textos un sentir generalizado desde las primeras décadas del siglo. Carpentier compartía ese sentimiento, y lo demuestran sus fervorosos comentarios sobre obras que manifestaban una actitud antiintelectualista, una defensa de los sentidos y del instinto, en especial si esa actitud mostraba relación con Latinoamérica: en *La serpiente emplumada*, donde D. H. Lawrence tal vez manifestaba sus preferencias por una vida armoniosa y sin hipocresías, y en cuyo «hombre natural» Pedro Henríquez Ureña no veía más que «un indio visionario que, con bastante incongruencia, trata de reavivar el espíritu de la antigua y compleja cultura mexicana» (1949: 31), Carpentier pudo descubrir «una de las mejores interpretaciones de Méjico que haya escrito un europeo» (1976: II, 60).

Opiniones como ésas son frecuentes en sus artículos de los últimos años veinte y primeros años treinta. Significativamente, son los años en que Carpentier vive en París y en los que parecen surgir sus planteamientos en favor de una expresión propia del mundo americano. Eso sí, aún proclama la necesidad de que los jóvenes de América conozcan a fondo «los valores representativos del arte y de la literatura moderna de Europa» (1976: II, 482), esta vez para adquirir las técnicas y métodos adecuados a la expresión de sensibilidades y pensamientos propios. Nuevas necesidades, en consecuencia, justificarían nuevas dependencias, y tal vez restarían importancia a las manifestaciones en pro de una expresión autóctona. Para salvar esa aparente contradicción,

Carpentier invocaba el carácter criollo de su propia obra literaria, como si el desarrollo de la literatura afroantillana —había contribuido a ella con poemas y con algún fragmento de la futura novela *Ecué Yamba-O*— no hubiese estado condicionado por la evolución de la cultura europea, por la crisis del optimismo cientificista del siglo XIX que se tradujo en la idealización de lo primitivo, de lo que —se suponía— era la vida en estrecha comunión con las fuerzas de la naturaleza: lo sagrado, lo mítico, lo intuitivo o irracional, lo dionisíaco y lo telúrico se habían constituido en posibilidades de acercarse a los orígenes, a la armonía cósmica, a lo absoluto. Lo cierto es que Carpentier era un fruto destacado de ese clima intelectual, y lo sabía —«pienso que me complazco en este juego, sobre todo, porque sé que la torre Eiffel está muy cerca», escribió en alguna crónica de 1928 (1976: II, 21)—, como sabía de la avidez europea de primitivismo, que puso de manifiesto al comentar el éxito de la música cubana en Francia. Eso no afecta a la sinceridad de sus convicciones: tempranamente había visto en los elementos culturales africanos un componente de la cubanidad —no en vano había sido un lector entusiasta de Fernando Ortiz—, y música y danza afrocubanas le permitieron relacionar muy pronto lo ritual con lo primitivo y a la vez con lo americano: «Todas las esencias de nuestras danzas —escribiría a propósito de la cantante Mariana (Alicia Parlá)— se ven mezcladas en esa *summa* de ritmos, plena de gravedad y de esa dignidad altiva que se desprende de la práctica de un rito. Danza del instinto, de la pulsación esencial: danza de lo elemental, perdurable por esa virtud misma». No se hacen esperar conclusiones que afectan al mundo contemporáneo: «El anhelo de someter nuestra arquitectura humana a un ritmo, es necesidad tan primitiva que no lograríamos alcanzar su origen. Por ello las danzas que aún guardan las características legadas por una raza pura, que usos y costumbres más o menos falseados por prejuicios múltiples no han conseguido adulterar, tienen el don de conmover hasta el grado indecible. Inhibidos como lo estamos todos, por las prerrogativas dadas a un intelectualismo falaz, hallamos una suerte de alivio, una alegría sana y vibrante, en encontrar nuevamente un hilo de Ariadna que podrá conducirnos hacia la fuente de los primeros impulsos del hombre. ¡Gestos hechos al compás de un ritmo! Todas nuestras inquietudes metafísicas quedan anuladas por la sola afirmación de esa voluntad... Volvemos a refrescarnos en los manantiales auténticos de la energía humana» (1976: II, 118-119).

El antiintelectualismo de los surrealistas fortaleció sin duda esa visión optimista de las manifestaciones de la vida y de la cultura en Latinoamérica. Más aún: cuando André Breton llegó a México, en 1938, creyó enfrentarse a una realidad que confirmaba sus teorías, una realidad surrealista por su relieve, por su flora, por el dinamismo derivado de su complejidad racial, por su pasado mítico todavía "activo". Su fascinación ante esa experiencia permitiría deducir cierta actitud escéptica ante la validez de un surrealismo meramente teórico o literario como el europeo, impresión que reiteran las reflexiones derivadas de la visita que el escritor francés realizó a Haití en 1945. Desde luego, Latinoamérica resultaba atractiva para él en la medida en que parecía adecuarse a sus aspiraciones, en la medida en que hallaba o creía hallar en ella lo que andaba buscando. No es diferente la actitud de Carpentier, que hubo de insistir en la condición americana de esa realidad para así marcar distancias con el surrealismo y con su pontífice máximo. Esta pretensión determinó su voluntad de ignorar que alguna vez también había encontrado en los poemas surrealistas la revelación de «un mundo de milagros»: «Los objetos más alejados —explicaba con entusiasmo en 1928— encuentran inesperados vínculos, que los unen en una danza cósmica. Las comparaciones más insólitas se hacen posibles. El orden de los prodigios se altera. La mágica reclama sus derechos. La esfinge devora a Edipo. La piedra filosofal existe» (1976: I, 111). Sólo había que trasladar esos milagros al ámbito de la realidad americana para que un mundo fragmentado y caótico se transformase en el reino prodigioso del sincretismo absoluto, el impensado lugar en que todo es más surrealista y mejor, hasta en los menores detalles. Desde luego, no era fácil el acceso a una realidad elaborada desde tales presupuestos. Para acceder a su conocimiento profundo se hizo necesaria la fe, una fe que Carpentier había descubierto tempranamente en las mentalidades de posguerra, poseedoras de un concepto «casi religioso» de la actividad intelectual. Preocupados en la indagación de realidades superiores, también en este aspecto los surrealistas se le habían adelantado.

De las observaciones precedentes cabe deducir que las relaciones entre la teoría de lo real maravilloso y las elucubraciones de los militantes del surrealismo, ortodoxos o disidentes, son mucho más estrechas de lo que Carpentier quiso admitir. En un caso y en otro se trataba de conciliar la teoría y la práctica, la literatura y la realidad, que se equipararon sin remordimientos, sin reparar en que se daba un salto en el vacío. Eso permitió a todos elaborar una realidad latinoamericana acorde con sus fantasías, y la juzgaron auténtica. La de Carpentier, desde luego, es la más minuciosa: ofrece ruinas poéticas, advertencias mágicas, creencias en poderes licantrópicos, danzas rituales, procesos iniciáticos, paisajes vírgenes, presencias fáusticas de indios y negros, mitologías sin fin, y una historia que es toda ella una crónica de lo real maravilloso. Conviene detenerse en algunos de esos aspectos, porque son ellos los que determinan la original interpretación de América que en su conjunto ofrece la obra del escritor cubano.

De particular interés resulta la visión de América que Carpentier trató de reflejar en algunos artículos de 1948, en los que dio cuenta de sus viajes por la selva venezolana del Orinoco. Sus descripciones mostraron una geografía antigua, una geología alucinante, un secular asidero de mitos, un territorio identificable con lo que el conde de Keyserling había definido como «el Continente del tercer día de la Creación» (1933: 19). Al leer esas páginas del escritor cubano es inevitable el recuerdo de las *Meditaciones suramericanas*: además de asignar al nuevo mundo un futuro esperanzador, Keyserling había transformado en un descenso al averno su viaje por aquellas tierras, que le habrían hecho sentirse inmerso en el devenir cósmico, integrado en las fuerzas telúricas, en contacto con una abisal y tenebrosa Vida Primordial que se manifestaría en la faz antediluviana de las plantas y los animales autóctonos, en la selva homicida. La muy generalizada fascinación por lo primitivo encontró así otra versión personal, en la que América significaba una vez más la pervivencia de los ritos mágicos y de los mitos ajenos a la historia, y la negación de cualquier actividad intelectual. Algo semejante encontró Carpentier en la Gran Sabana, reino de las rocas y de las aguas, pero trató de dar a esa visión un giro americanista: «Aquí el hombre del sexto día de la creación contempla el paisaje que le es dado por solar. Nada de evocación literaria. Nada de mitos encuadrados por el alejandrino o domados por la batuta. Es el mundo del Génesis que halla mejor su expresión en el lenguaje americano del *Popol Vuh* que en los versículos hebraicos de la Biblia» (1976: II, 253-254). Esa voluntad de configurar un Génesis propio, para una naturaleza propia y salvaje, lo llevó a relacionar las «Formas» que se le revelaban con antiguos monumentos sagrados, con las fuerzas primeras de las creencias indígenas, tratando de interpretar cuanto veía en términos míticos específicamente americanos: «Una vez más —se justificaba Carpentier—, América reclama su lugar dentro de la universal unidad de los mitos, demasiado analizados en función exclusiva de sus raíces semíticas o mediterráneas» (1976: II, 262).

Significativamente, uno de los atractivos que Breton había encontrado en México, en 1938, era ese pasado mítico todavía «activo». La visión positiva de esa pervivencia es notoria en los escritos de Carpentier, incluido el célebre prólogo, y tal coincidencia de pareceres ha de explicarse en el contexto de una apreciación creciente de los elementos culturales ahistóricos, detectable en Hispanoamérica al menos desde los años veinte. Esa apreciación debe relacionarse con el pensamiento que hizo de América el mundo del futuro, al tiempo que la situaba al margen del presente. De la variedad de sus manifestaciones y de sus consecuencias literarias puede ser un ejemplo la novela *El pueblo maravilloso*, que el chileno Francisco Contreras publicó inicialmente en francés, en 1924, y que Carpentier conocía, pues en 1925 había traducido algunos fragmentos para la revista *Social* de La Habana. «Como todas las sociedades primitivas —explicaba el autor en su "proemio"—, los pueblos hispanoamericanos tiene la intuición muy despierta de lo maravilloso, esto es, del don de *encontrar* vínculos más o menos figurados con lo desconocido, lo misterioso, lo infinito. Pues, bien consideradas, las supersticiones y su encarnación: el mito, son manifestaciones subconscientes del espíritu religioso en la más amplia acepción de la palabra. Si no constituyen verdades concretas más que para algunos hombres ignorantes o ingenuos, representan para todos esas verdades secretas, simbólicas, clave del misterio de la vida. Nuestra mitología es, pues, elemento esencial precioso de nuestro espíritu colectivo» (Lastra, 1986: 77-78). El «mundonovismo», cuya teoría elaboraba Contreras al menos desde 1917, se mostraba así atento a las valoraciones del mito que ganaban aceptación en Europa, asociándolo a la manera de pensar de los primitivos, carentes de memoria histórica. América, continente de los primeros días de la creación, necesariamente había de estar habitada por los mitos y las leyendas. Era lo que convenía a un mundo siempre ajeno a la razón y a la ciencia, motores del progreso europeo.

Para completar la visión de América que desde entonces se elaboró, conviene recordar que Carpentier relacionó la extraordinaria geografía de la Gran Sabana con El Dorado de la leyenda, con el fabuloso reino de Manoa buscado casi hasta los días de la Revolución Francesa. El interés por los «mitos de la conquista» es inseparable de ese interés cada vez más acentuado por el mito, que obligaría a leer con un enfoque inédito la historia americana. Responsable fundamental de las novedades fue sin duda Alfonso Reyes, como demuestran los escritos que dedicó al tema al menos desde 1920 —de esa fecha son sus *Retratos reales e imaginarios*, donde se incluye «Américo Vespuccio», y en *Simpatías y diferencias (segunda serie)* (1921) aparecen «Los descubridores de América (antes de Colón)» y «Los viajes de Juan de la Cosa, descubridor de Venezuela»—, finalmente reunidos y elaborados en *Última Thule* (1942). Consciente de que «entre los impulsos que determinan la aparición fantástica de América, unos son terrenos y prácticos, otros fantásticos e ideales» (Reyes, XI, 1960: 17), entendió que el descubrimiento «fue el resultado de algunos errores científicos y algunos aciertos poéticos» (XI, 1960: 44) y se interesó especialmente por las utopías e imaginaciones relacionadas con aquel acontecimiento. Con la mesura que lo caracterizaba, recordó que para López de Gómara eso había sido «la mayor cosa después de la creación del mundo, sacando la encarnación y muerte del que lo creó», y previno que «semejante actitud mental, que muchos después de Gómara han adoptado y que revela un asombro por cierto bien legítimo, equivale a abrir desmesuradamente los ojos. Pero es sabido que no por eso se ve mejor, al contrario. Los ojos desmesurados son los ojos de la alucinación y del éxtasis. De por sí, ellos engendran los fantasmas de la leyenda» (XI, 1960: 31). Esas prevenciones no le impidieron apreciar la condición «mágica» de aquellos hechos, ni admirarse de la maravillosa utopía que algunos hombres realizaron mientras soñaban con descubrir las bienhadadas islas utópicas. El asombro contagia también su visión personal de la América recién descubierta, que emerge entre la realidad y la fábula, entre una maraña de presagios que amenazan con tierras del terror y del mito o prometen paraísos soñados con insistencia por hombres de todos los tiempos, entre espejismos de islas perdidas, sueños de Ofir y de Catay, recuerdos de la Atlántida, fantasías de la Fuente Juvencia o del Reino de las Amazonas.

Del interés renovado por el descubrimiento y la conquista de América dan cuenta —en el ámbito de la lengua castellana, que no fue el único— obras como *Historia crítica de los mitos de la conquista americana* (1929), de Enrique de Gandía, o *El mito del oro en la conquista de América* (1933), de Manuel Ferrandis Torres, o *Vida del muy magnífico señor don Cristóbal Colón* (1940), de Salvador de Madariaga, o *La ilusión de la conquista. Génesis de los mitos y leyendas americanos* (1945), de Federico Fernández de Castillejo. No todos apreciaron lo fantástico en la misma medida, pero entre unos y otros dejaron de manifiesto que América había sido la materialización de sueños muy antiguos, que sobre ella se había proyectado la cosmovisión mágico-religiosa del mundo clásico y medieval, y se aprestaron a leer las crónicas de Indias desde esa perspectiva. En *Las corrientes literarias en la América Hispánica*, cuya edición inicial en inglés es de 1945, Pedro Heríquez Ureña ofreció una formulación mesurada para la valoración del impacto causado en Europa por las noticias de Colón sobre las tierras descubiertas: «La imaginación europea —aseguró— halló en estas descripciones, entre tantas nuevas extrañas, la confirmación de fábulas y leyendas inmemoriales, *"la merveille unie a verité"*, según la vieja expresión arcaica de Mellin de Saint-Gelais» (1949: 13). Nunca olvidó, desde luego, que se trataba de fantasías, casi siempre originadas en la «quimérica» geografía de la Edad Media y difundidas por la credulidad ingenua de los navegantes, pero eso no altera una conclusión fundamental: el encuentro con aquellas tierras desconocidas estimuló la imaginación europea de antaño, y ahora aquella imaginación merecía una valoración positiva, acorde con la visión contemporánea de un continente joven, territorio del mito y de la fábula, paraíso de la imaginación creadora.

Así pudo hacerse una lectura «mítica» de la historia de América. En ella habían de jugar un papel fundacional y decisivo los hechos relatados en las crónicas de Indias, que pudieron interpretarse ante todo como testimonio de aquellas fantasías y como un género literario relacionable con los libros de caballerías. Esos planteamientos fueron los de Carpentier, quien se refirió con entusiasmo a los buscadores de la Fuente de la Eterna Juventud o de la áurea ciudad de Manoa, y pudo ver en la *Historia verdadera de la conquista de la Nueva España* «el único libro de caballería real y fidedigno que se haya escrito —libro de caballería donde los hacedores de maleficios fueron teules visibles y palpables, auténticos los animales desconocidos, contempladas las ciudadés ignotas, vistos los dragones en sus ríos y las montañas insólitas en sus nieves y humos. Bernal Díaz, sin sospecharlo, había superado las hazañas de Amadís de Gaula, Belianís de Grecia y

Florismarte de Hircania» (1974: 93). Siempre preocupado por dar noticia fidedigna de los sucesos acaecidos, Bernal Díaz del Castillo quizá no merecía ese trato, ni lo justifica el que consignase que el espectáculo de la ciudad de México había recordado a sus compañeros de aventura las cosas de los libros de Amadís. Es indudable que las leyendas sobre geografías remotas se volcaron de inmediato sobre tierras americanas, y que mitos antiguos y nuevos impulsaron decisivamente la exploración y la conquista. Las crónicas de quienes participaron en esas empresas recogieron testimonios de esas fantasías, pero no hay que olvidar que sus autores pretendieron ofrecer ante todo una información rigurosa y que lo «maravilloso» ocupa en sus escritos un lugar muy secundario. Además, de esos escritos no se deduce la realización de la «quimérica geografía de la Edad Media», como pretendía Carpentier, sino su destrucción inexorable y definitiva. Es evidente que la decisión de confundir novela y crónica, resaltando en esta última los detalles imaginativos, responde a las mismas exigencias contemporáneas que hicieron de América el territorio del mito y de la fábula. Era lo adecuado a la teoría de lo real maravilloso americano, de modo que el gran escritor cubano ya nunca había de modificar su opinión sobre Bernal Díaz del Castillo, «mucho más novelista que los autores de muy famosos romances de caballerías» (1981: 24), y la utilizaría como un argumento en favor de la utilización de temas históricos como material novelesco: «Por lo tanto —pudo concluir—, no veo más camino para el novelista nuestro en este umbral del siglo XXI que aceptar la muy honrosa condición de cronista mayor, Cronista de Indias, de nuestro mundo sometido a trascendentales mutaciones, cuyos signos anunciadores aparecen ya en muchos lugares del mapa» (1981: 25). Era una manera de definir sus preferencias sobre la novela y de justificar su propia obra de creación. Su prestigio determinó que muchos a partir de él encontrasen en las crónicas una manifestación de la literatura fantástica, y que numerosos estudios recientes se hayan ocupado de confirmar o de desmentir esa opinión.

Esta lectura de los hechos narrados por la historiografía indiana afectó también a la historia americana posterior. No en vano «hay en América una presencia y vigencia de mitos que se enterraron, en Europa, hace mucho tiempo, en las gavetas polvorientas de la retórica y de la erudición» (1974: II, 262). Para comprobarlo, bastaría con saber que en 1780 los españoles aún soñaban con el paraíso de Manoa, el mundo perdido del último Inca, o que en 1794, mientras en Francia se extendía el culto a la Razón y el Ser Supremo, el compostelano Francisco Menéndez andaba por tierras de Patagonia buscando la Ciudad Encantada de los Césares. Con extender esa condición «maravillosa» a personajes y sucesos recientes —Carpentier no dejó de referirse a la traza «mitológica» de los héroes de la independencia— se completaría la visión de una historia concebida como crónica de lo real-maravilloso. Era lo que correspondía a las peculiaridades de la geografía americana y a sus habitantes, pues América «alimenta y conserva los mitos con el prestigio de su virginidad, con las proporciones de su paisaje, con su perenne *revelación de formas*» (Carpentier, 1974: II, 263). La civilización europea nunca podría ofrecer algo semejante. En esas convicciones había de apoyarse el desarrollo de una excepcional literatura, a la que contribuyó con sus narraciones el propio Carpentier. A la vista de esos resultados quizá no importa que la teoría de lo real maravilloso haya sido apenas un intento de definir la identidad americana, tan condicionado como cualquier otro por las orientaciones culturales de su momento, tan cuestionable como los que antes se habían plasmado en *Ariel*, en *Eurindia*, en *La raza cósmica*.

3. *CONJUNCIONES Y DISYUNCIONES:*
PARA UNA SINTAXIS DE LAS CULTURAS

A diferencia de cuantos lo sacrificaron en aras del americanismo literario, Octavio Paz siempre vio en el surrealismo una posibilidad de acceder a la *verdadera vida*, abandonando el laberinto sangriento construido por la civilización occidental. Entendió que encarnaba los fantasmas del deseo y la recuperación de los poderes infantiles de la imaginación, y —sin ignorar que el «estilo surrealista» tenía una dimensión histórica, la relacionada con un movimiento de vanguardia concreto, y que podía haberse degradado hasta convertirse en una manera o receta— dedujo que era sobre todo una actitud, un ejercicio de rebelión en el que se conjugaban la libertad, el amor y la poesía. Ajena a la moral y a la utilidad, su subversión estribaría en la voluntad de abolir «esta realidad que una civilización vacilante nos ha impuesto como la sola y única verdadera» (1982: 140). Se trataría, en último término, de descubrir la auténtica realidad, la que ocultan las apariencias, cuando, «arrasado por el humor y recreado por la imaginación, el mundo no se presenta ya como un "horizonte de utensilios" sino como un campo magnético. Todo está vivo: todo habla o hace signos; los objetos y las palabras se unen o se separan conforme a ciertas llamadas misteriosas; la hiedra que asalta el muro es la cabellera verde y dorada de Melusina. Espacio y tiempo vuelven a ser lo que fueron para los primitivos: una realidad viviente, dotada de poderes nefastos o benéficos, algo, en suma, concreto y cualitativo, no una simple extensión mensurable» (1982: 141).

Esa interpretación habla del surrealismo, pero habla sobre todo de las convicciones de Octavio Paz. Frente a una civilización racionalista y cristiana, el escritor mexicano opone una manifestación muy destacada de esa cosmovisión analógica reiteradamente atribuida por él a la poesía moderna, a la poesía que nació con William Blake y con los románticos alemanes. Esa actitud, desde luego, entraña una visión negativa del Occidente contemporáneo, de modo que Paz engrosaría la nómina de los «irracionalistas», tan numerosos en Hispanoamérica a lo largo de este siglo. En eso no se diferencia de Carpentier, que también hizo alguna vez el elogio del surrealismo en términos similares y vio en sus aportaciones una forma de reencontrar la mentalidad mágica de los primitivos. La asociación de magia y primitivismo —derivada sobre todo del gran eco encontrado por las teorías del antropólogo británico sir James Frazer— había de determinar en alguna medida el desarrollo de la literatura hispanoamericana contemporánea, como se habrá podido deducir de las anteriores reflexiones sobre lo real maravilloso americano. Desde luego, Paz la aprovechó especialmente para confirmar una personal visión del mundo: «Como lo creían los antiguos, y lo han sostenido siempre los poetas y la tradición oculta, el universo está compuesto de contrarios que se unen o separan conforme a cierto ritmo secreto» (1982: 149). En suma: la mentalidad mágica de los primitivos sería una confirmación de la analogía cósmica.

Muy pronto supo que la existencia de una remota «edad mágica» era más bien improbable: nuevas teorías antropológicas le dieron a entender que lo mágico estaba indisolublemente ligado a cualquier actividad humana, en cualquier tiempo y lugar. Eso equivalía a dejar en entredicho toda pretensión de hacerlo característico de una cultura determinada, de modo que su utilización para el desarrollo del americanismo literario se volvía cuestionable. Paz no avanzó por ese camino: buscó el suyo propio, inseparable de su concepción de la poesía y de la cosmovisión analógica que ésta demandaba, también para los primitivos. En adelante, de ellos se sirvió sobre todo para marcar diferencias con las sociedades históricas: «El salvaje se siente parte de la naturaleza y afirma su fraternidad con las especies animales —aseguró a propósito de los hallazgos del antropólogo francés Claude Lévy-Strauss—. En cambio, después de habernos creído hijos de dioses quiméricos, nosotros afirmamos la singularidad y exclusividad de la especie humana por ser la única que posee una historia y lo sabe. Más sobrios y sabios, los primitivos desconfían de la historia porque ven en ella el principio de la separación, el comienzo del exilio del hombre errante en el cosmos» (1984: 78). No es de extrañar, en consecuencia, que acogiese con satisfacción las teorías de Lévy-Strauss y que las interpretase a su manera: «Los primitivos no "participan", como creía Lévy-Bruhl; los primitivos clasifican y relacionan. Su pensamiento es analógico, rasgo que no sólo los une a los poetas y a los artistas de las sociedades históricas sino también a la gran tradición de los herméticos de la Antigüedad y la Edad Media —o sea: a los precursores de la ciencia moderna» (1984: 79). Arte y magia se convirtieron así en manifestaciones de la condición misteriosa del universo, de un universo regido por la analogía, en el que todo se llama y se responde. Los esfuerzos de Paz habían de orientarse ahora hacia la indagación de las leyes que tal vez rigen ese orden secreto.

Conjunciones y disyunciones es probablemente la consecuencia última y más destacada de esa pretensión. La pasión de la analogía determina las reflexiones, iniciadas cuando se advierte la relación entre «pícaro», «picardía» y «picar» —el pretexto fue el libro *Nueva picardía mexicana*, de Armando Jiménez—, y se deduce que ésas y otras metáforas remiten a nuestra otra cara, la oculta e inferior, «a nuestra cara animal, sexual: al culo y los órganos genitales» (1978: 12). Basta con las primeras páginas para advertir que el discurso de Paz está regido por ciertas convicciones, o básicamente por una fundamental: la de que «la dialéctica de los principios de placer y de realidad se despliega en una zona intocada por los cambios sociales de los últimos ocho mil años» (1978: 17). El principio de realidad tiene que ver con la cara superior —con el orden, con la razón—, y es fundamentalmente represivo. El principio de placer, relacionado con los instintos, es explosivo y subversivo. En todo hombre se conjugan esos principios: en él conviven la razón y el instinto, la cara superior y la inferior, el alma y el cuerpo. También se conjugan en las diversas culturas, cuyas peculiaridades derivan precisamente de las características que asume esa dialéctica en un momento o lugar determinados. No obstante, las diversas culturas analizadas parecen desarrollarse en una dirección única, «del himno védico al tratado de meditación, del rayo al diamante, de la carcajada a la filosofía» (1978: 16). El represivo principio de realidad parece imponerse, sobre todo en la cultura de Occidente, y así reaparece en Paz —tal vez contra sus pretensiones— la idealización de los primitivos: entre ellos los instintos agresores se habrían traducido en mitos y ritos —la pasión es rito y fiesta, eros es imaginario y cíclico—, es decir: en metáforas y símbolos, en un código de signos a la vez sensibles e intelectuales. Algo de ello queda en nuestra cultura de formas degradadas, a pesar de que los hombres modernos «hemos reducido el lenguaje a la mera significación intelectual y la comunicación a la transmisión de información» (1978: 18). Puesto que el poeta y el novelista aún hacen lo que hace el salvaje —«convierten el lenguaje en cuerpo»—, el arte es «el equivalente moderno del rito y de la fiesta» (1978: 19), la posibilidad de reencontrar la unidad original, la síntesis del alma y el cuerpo, el regreso a la infancia y el mito. Desde luego, eso no puede decirse de todos los escritores en todas las épocas, pero sí al menos de quienes encendieron de nuevo la llama pasional, desde los poetas románticos, que creían en el amor único y en la sublimidad de las pasiones, hasta Joyce y los surrealistas. Otra vez nos encontramos con esa obsesión que determina toda la obra de Paz: la vindicación de la poesía como experiencia verbal y espiritual capaz de acercarnos a la unidad perdida, de revelar el mundo y de modificarlo.

Por conocida, esa concepción de lo poético tal vez interesa menos que el discurrir del autor en busca de un alcance totalizador para sus planteamientos. La dialéctica de los principios de realidad y de placer permite concebir una sociedad o cultura como la conjugación de términos que se oponen y tratan de excluirse mutuamente: de un lado queda el orden dominante y represivo, la sociedad autoritaria y jerárquica, culta o artificial (cultura de los ricos: adquirida, consciente y moderna); del otro, la sociedad natural, libre e igualitaria, espontánea y subversiva (cultura de los pobres: heredada, inconsciente y antigua). Esa oposición —que reitera la que separaba a la cara superior de la inferior— es la que nos condena al trabajo y a la historia, y a la vez la que determina la voluntad de suprimir las distancias y recuperar la armonía original. No es momento ahora para seguir las reflexiones que asocian capitalismo y protestantismo, Contrarreforma y poesía española del siglo XVII, mausoleos mahometanos y templos budistas e hindúes. Baste con recordar que se trata de determinar un funcionamiento profundo, y que ése se entiende a partir de la oposición *sol-excremento*, fácilmente relacionable con otras como *cara-sexo* —lo que antes era *cara superior-cara inferior*— o *alma-cuerpo*.

Paz no ignoró que esos términos son realidades distintas en cada civilización, con nombres distintos y significados distintos. Entendió, sin embargo, que eso no era un obstáculo para intentar construir una sintaxis universal de las culturas, precisamente tomando como punto de partida la relación de afinidad y oposición que mostraban esas palabras clave dentro de su propia área lingüística. Convencido al parecer de que «hay una suerte de *combinatoria* en los signos centrales de cada civilización», y de que «de la relación entre esos signos depende, hasta cierto punto, el carácter de cada sociedad e incluso su porvenir» (1978: 48), propuso un análisis basado en la determinación de las conjunciones y disyunciones que muestran los términos constitutivos de una cultura, procedimiento también útil para entender sus relaciones con otras. Supuso que la relación básica de las palabras o signos fundamentales era una relación entre pares, comprobable en todas partes y seguramente en todos los tiempos, y que esa relación había de ser de oposición o afinidad. No sin problemas: «El exceso de oposición aniquila a uno de los términos que la componen; el exceso de afinidad también la destruye. Por tanto, la relación siempre está amenazada, ya sea por una conjunción exagerada o por una disyunción también exagerada. Además, el predominio excesivo de uno de los términos provoca desequilibrio: represión o relajación. Otrosí: la igualdad absoluta entre ambos produce la neutralización y, en consecuencia, la inmovilidad» (1978: 43). Pueden deducirse las preferencias de Paz por cierto ligero desequilibrio, por la autonomía de cada término que permita el diálogo con el otro, por la libertad limitada que conjugue el «recurso de sublimación» (cultura) con la espontaneidad creadora. Pero lo verdaderamente importante, al menos para el desarrollo de su análisis, es que los términos sólo son inteligibles en relación, y no aislados. Para evitar las complicaciones derivadas de la multiplicidad de civilizaciones y de significados concretos, entendió que la relación había de tratarse como si se estableciese entre signos lógicos o algebraicos: las palabras *cuerpo* y *no-cuerpo* apenas deberían expresar esa relación contradictoria que constituye toda civilización, aunque es obvio que esos términos remiten a conceptos y valores que aquí ya han quedado de manifiesto.

Desde esos planteamientos abordó el análisis de las conjunciones y disyunciones de los signos, utilizando ejemplos de Occidente, de India y de China, dentro de cada sociedad y comparando las sociedades entre sí. No voy a detenerme en seguir su desarrollo. Baste con señalar que Paz vio la relación de India y Occidente como oposición dentro de un sistema —«creo que la civilización india es el otro polo de la de Occidente, la *otra versión del mundo indoeuropeo*» (1978: 48)—, y que a la hora del análisis las historias respectivas se conformaron como procesos simétricos e inversos. En un extremo de esa simetría inversa había de encontrarse el protestantismo, «la fase final y más radical de la sublimación cristiana», y en el otro el tantrismo, «la última y más extrema expresión de la corporeización budista» (1978: 93). Desde esos presupuestos resultaba prácticamente inevitable la consideración de que el budismo tántrico propende a la analogía, a las polaridades, a las dualidades. En la misma lógica, era necesario descubrir que, «desde su origen, la civilización china concibió el cosmos como un orden compuesto por el ritmo dual —unión, separación, unión— de dos poderes o fuerzas: el cielo y la tierra, lo masculino y lo femenino, lo activo y lo pasivo, yang y yin» (1978: 99). Aunque la relación de Occidente y la India con el Extremo Oriente (China, Japón, Corea, Tibet) le pareció a Paz la relación entre dos sistemas distintos, no dejó de advertir que en India y en China «la conjunción fue el modo de relación entre los signos *cuerpo* y *no-cuerpo*» (1978: 110), mientras que en Occidente lo fueron la disyunción extrema y la violencia extrema, culminadas con la condenación del cuerpo y de la naturaleza por la ética protestante.

Podría argumentarse que esas simetrías inútilmente tratan de ordenar una realidad caótica o desconocida, pero eso no disminuye el atractivo del minucioso laberinto urdido por Paz. En su elaboración le fueron sumamente útiles las reglas de equivalencia, oposición y transformación que la antropología estructural había desarrollado para construir una sintaxis simbolizante, y esa deuda —con Lévy-Strauss, sobre todo— puede servir para dejar patente la dimensión profunda de lo que pretendía. Su constante preocupación por la identidad nacional había descubierto a esa luz planteamientos novedosos: la universalidad de la cultura propia quedaba demostrada y garantizada por la universalidad de las estructuras y arquetipos míticos, que a su vez se apoyaba en la universalidad que los avances de la lingüística habían otorgado a la estructura profunda del lenguaje, cualesquiera que fuesen las características y la diversidad de los idiomas y dialectos. A través de Lévy-Strauss se hacía evidente de modo definitivo la inutilidad de la oposición entre pensamiento lógico y pensamiento mítico —y la atribución de este último a estadios culturales primitivos—, una vez que la pluralidad de los mitos, en todos los tiempos y en todos los espacios, había dejado patente la reiteración en ellos de ciertos procedimientos, de la misma manera que en el universo del discurso la pluralidad de los textos resulta de la combinación de un número muy reducido de elementos lingüísticos permanentes. Los mitos, en consecuencia, conformaban un lenguaje con normas propias de funcionamiento, y la distinción de Ferdinand de Saussure entre *lengua* y *habla* se reveló útil para explicar sus relaciones con la historia. Resumiendo las reflexiones de Lévy-Strauss a ese respecto, Paz pudo concluir: «El mito es habla, su tiempo alude a lo que pasó y es un decir irrepetible; al mismo tiempo, es lengua: una estructura que se actualiza cada vez que volvemos a contar la historia» (1984: 28).

Así pudo referirse a las unidades mínimas del lenguaje mítico, o *mitemas* («nudos o haces de relaciones míticas»), y deducir que «las combinaciones de los mitemas deben producir mitos con la misma fatalidad y regularidad con que los fonemas producen sílabas, morfemas, palabras y textos» (1984: 28-29). Desde luego, lo que dice el mito *no* es lo que dicen las palabras del mito: el lenguaje mítico es un paralenguaje que se sirve del lenguaje para manifestarse sin que en esa expresión verbal agote su significación: el lenguaje mítico es algo más profundo que las fábulas en que se manifiesta. Para la cultura latinoamericana de los años sesenta tal vez fue decisiva esa confirmación indirecta de que no había pueblos marginales, dado que la pluralidad de culturas es ilusoria: se trata de diferencias aparentes, de una pluralidad de metáforas que dicen lo mismo: «Hay un punto en que se cruzan todos los caminos; este punto no es la civilización occidental sino el espíritu humano que obedece, en todas partes y todos los tiempos, a las mismas leyes» (Paz, 1984: 44). Algunos escritores hispanoamericanos llevaron esas conclusiones a la literatura, que de pronto se pobló de ingredientes míticos, como los que Carlos Fuentes detectó en *Pedro Páramo*. Con la ayuda de Lévy-Strauss, hasta Carpentier entendió que «el camino que lleva de una ceremonia ritual de indios amazónicos a *Parsifal* no pasa necesariamente por el *Don Juan* de Mozart» (Carpentier, 1981: 18).

Exigente consigo mismo, Paz trató de medir en todo su alcance lo que esa propuesta sobre el mito significaba. Para ello le fueron útiles las aportaciones del psicoanálisis y las del marxismo: «los procesos psíquicos, inconscientes y subconscientes —recordó al respecto—, poseen para Freud una *finalidad*. Esa finalidad recibe varios nombres: deseo, principio de placer, Eros, Tánatos, etc. Muchos han subrayado el parentesco de este inconsciente psicológico con las estructuras económicas de Marx, también inconscientes y, asimismo, dueñas de una dirección. El inconsciente y la historia son fuerzas en marcha y que caminan independientemente de la voluntad de los hombres» (1984: 113). Desde una u otra perspectiva, parece hablarse siempre de una estructura o fuerza secreta, más allá de la conciencia y de la voluntad del individuo. Ésa sería la realidad *verdadera*, y a ella se refiere Paz cuando insiste en que «el materialismo de Freud y el de Marx no suprimen la idea de finalidad: la sitúan en un nivel más profundo que el de la conciencia y así la fortifican. Ajena a la conciencia, esa finalidad es efectivamente una fuerza irrebatible. Al mismo tiempo, Marx y Freud ofrecen una solución: apenas el hombre se da cuenta de las fuerzas que lo mueven, está en aptitud, ya que no de ser libre, al menos de establecer una cierta armonía entre lo que es realmente y lo que piensa ser» (1984: 114). Formulaciones más contemporáneas tenderían a imaginar esa «finalidad» como una secreta estructura dinámica que inevitablemente determina la «realidad» fenoménica: «cualesquiera que sean las diferencias entre las ideas de Lévy-Strauss y las de Chomsky —concluyó Paz—, ambos coinciden en pensar que la mente humana está regida por principios universales y leyes de operación idénticas para todos. Estas leyes son inconscientes: cada vez que hablamos las cumplimos sin darnos cuenta. Por último, los dos ven inscritas en el lenguaje las leyes de esa combinatoria que está en la mente o, más exactamente, que es la mente» (1984: 130). En las culturas de Oriente y Occidente él también entendió que se revelaba una suerte de combinatoria secreta. *Conjunciones y disyunciones* fue un esfuerzo para determinar sus principios: para determinar las leyes que rigen la relación entre los signos de una cultura y determinan así el carácter de una sociedad y hasta su porvenir.

Estos planteamientos pueden parecer ajenos a la tradición cultural latinoamericana, y para algunos han resultado sospechosos de una actitud cosmopolita o universalista injustificable. Me atrevo a asegurar que ningún escritor destacado en la Hispanoamérica contemporánea —incluido Borges, que descubrió en la «voluntad» de Schopenhauer algo semejante a esa «finalidad» que ocupa las reflexiones y la búsqueda del poeta mexicano— ha dejado de manifestar inquietudes relacionadas con el deseo de alcanzar una dimensión distinta a la de la historia. Esa reiterada actitud significa una crítica de nuestro mundo, y eso es particularmente evidente en Octavio Paz, decidido a encontrar en la meditación de Lévy-Strauss sobre las sociedades no europeas una crítica de las instituciones occidentales. Así el antropólogo francés pudo ser leído en Hispanoamérica no sólo como un continuador de Rousseau y Diderot, Montaigne y Montesquieu, tal como Paz señala, sino también como un pariente próximo de Spengler, de los surrealistas y de Alejo Carpentier. Incluso como un heredero de Keyserling, en cuyas *Meditaciones suramericanas* se lee que «el primitivo no tiene imaginación; es poseído por ella» (1933: 330), y que «todo suceder histórico tiene su origen real en el mito. Todo mito es imagen-modelo. En el mito adquieren forma, por vez primera, todas las posibilidades de un pueblo, y cada vez que un pueblo ha llegado a su perfección la realidad se ha asimilado al mito preexistente. Con respecto a los pueblos, no se debería decir: "Por sus frutos los reconoceréis", sino "los reconoceréis por sus mitos", pues toda cosecha es fruto de año y de estación, mientras que el mito se mantiene válido y operante en tanto vive un pueblo» (1933: 397).

Deslumbrado ante las posibilidades que abría la antropología estructural, Paz no dejó de advertir que «un paisaje se presenta como un rompecabezas: colinas, rocas, valles, árboles, barrancos. Ese desorden posee un sentido oculto; no es una yuxtaposición de formas diferentes sino la reunión en un lugar de distintos tiempos-espacios: las capas geológicas. Como el lenguaje, el paisaje es diacrónico y sincrónico al mismo tiempo: es la historia condensada de las edades terrestres y es también un nudo de relaciones. Un corte vertical muestra que lo oculto, las capas invisibles, es una "estructura" que determina y da sentido a lo más superficial» (1984: 11). Como Marx y Freud, la geología también enseñó a Lévy-Strauss y a Paz a explicar lo visible por lo oculto, las apariencias históricas por una dimensión profunda y atemporal. Desde luego, no sólo se trataba de entender la sociedad, los mitos o el lenguaje como una estructura en la que cada elemento o signo significa en función de los otros. La diferencia entre lo visible y lo oculto habla también de que una dimensión profunda y ahistórica lucha por manifestarse, y de que no puede hacerlo sino históricamente. Es imposible no recordar, y Paz lo tiene muy presente en *Conjunciones y disyunciones*, que una civilización *es* una determinada relación entre determinados signos, pero también —o sobre todo— una consecuencia de la oposición entre el principio de realidad y el principio de placer. Es innecesario insistir en que el primero tiende a reprimir y ocultar las manifestaciones del segundo, y en que de este lado quedan el erotismo y el juego, y también la violencia de los instintos. Si toda civilización constituye un resultado de la lucha entre esos principios —o de la oposición entre el signo *no-cuerpo* y el signo *cuerpo*, otra formulación para un mismo conflicto—, es evidente para Paz que en Occidente —en el Occidente protestante, sobre todo— se ha optado por la disyunción, y que esa disyunción, porque se ha vuelto extremada, amenaza con las consecuencias destructivas que entrañaría un triunfo absoluto del signo *no-cuerpo*, del principio de realidad. El surrealismo constituía una manifestación del principio de placer, una rebelión del *cuerpo* que trataba de restaurar el equilibrio inestable que constituye la vida de una civilización. La perspectiva latinoamericana tal vez exige situarse de este lado, para señalar —desde la periferia— los riesgos de los modernos juegos científicos, incluido el que nos hace ver la «realidad» como un tejido de relaciones o estructuras, y nos fuerza a sustituirla por el pensamiento y sus leyes, o por las del lenguaje o atribuidas a él. «El mismo psicoanálisis —advirtió Paz en alguna ocasión— es parte de la sublimación y, por tanto, de la neurosis de la civilización de Occidente» (1978: 112). Englobadas bajo el signo *no-cuerpo*, las sublimaciones pueden conducir a las sociedades a callejones sin salida, cuando la relación con el signo *cuerpo* se rompe o se degrada. Las explosiones son su única salida, de modo que Paz pudo concluir que «la historia del *cuerpo* en la fase final de Occidente es la de las rebeliones» (1978: 119). No se refería a la revolución política, desde luego, por entender que, en el reparto contemporáneo de los despojos de la religión, esa revolución se quedó con la ética, con la educación, con el derecho y las instituciones públicas: con el *no-cuerpo*. Por el contrario, el arte heredó los símbolos, las ceremonias, las imágenes, la expresión sublimada, aunque sensible, del signo *cuerpo* (1978: 125).

He aludido a una perspectiva latinoamericana, y tal vez no sea inútil anotar que en 1945 Breton se encontró en Haití con el pintor cubano Wilfredo Lamm, y que en 1941 éste había compartido experiencias con Lévy-Strauss, a su vez amigo de Breton, en ese país del Caribe. El destino determinó que Alejo Carpentier descubriese también allí lo real maravilloso de América, sin resignarse a aceptar que, como todos, buscaba una posibilidad liberadora que oponer al malestar existencial o a las represiones del mundo civilizado. Paz recogió esas experiencias, y las utilizó para elaborar una teoría del arte y de la poesía como equivalente moderno del rito y de la fiesta: se trataría de crear organismos que emitiesen imágenes, lenguajes que se transformasen en cuerpos y permitiesen recuperar la representación, el principio de placer, para invertir el proceso seguido por las civilizaciones, para tratar de ir ahora «del diamante al rayo, de la ataraxia a la pasión, de la filosofía en el "boudoir" a la poesía al aire libre» (1978: 22). No es imposible concluir que esa teoría poética también cumple un destino latinoamericano: si se opone el *cuerpo* y el placer al *no-cuerpo* y la realidad, y estos últimos encuentran su manifestación por excelencia en esa civilización nacida de la Reforma protestante —en la que representan sobre todo los Estados Unidos—, optar por los primeros significa al menos tomar partido contra una determinada visión del mundo y los valores que implica. Tal vez los planteamientos de Octavio Paz no sean, en último término, sino una versión moderna y compleja del viejo conflicto entre civilización y barbarie, invirtiendo, desde luego, las preferencias de Sarmiento. Tal vez en esa actitud puede resumirse la cultura hispanoamerica de nuestro siglo.

LA CRÍTICA

Es evidente que el ensayo hispanoamericano no ha recibido la atención que merece. Los manuales de literatura de la América hispánica suelen reservarle un lugar escaso, a lo que contribuye sin duda la indefinición de un género cuyas fronteras nadie ha conseguido delimitar. Por otra parte, los estudios exclusivamente dedicados al tema apenas existen. Los primeros de verdadero interés fueron quizá *Del ensayo americano* (1945), de Medardo Vitier, y sobre todo *Índice crítico de la literatura hispanoamericana. Los ensayistas* (1954), un trabajo todavía imprescindible de Alberto Zum Felde. Entre los posteriores, merece mención la *Historia del ensayo hispanoamericano* (1973) de Peter G. Earle y Robert G. Mead, un notable esfuerzo para informar en pocas páginas sobre los autores y obras fundamentales. Y no deben olvidarse algunos trabajos relativos a determinados aspectos de la cultura hispanoamericana que arrojan mucha luz sobre la evolución del género y sobre las preocupaciones que prefiere manifestar. Entre ellos, son de mención obligada *América Latina en busca de una identidad* (1969), de Martín S. Stabb, y *El pensamiento latinoamericano* (1974), donde han venido a dar varios estudios de los numerosos que el mexicano Leopoldo Zea ha dedicado al análisis de la vida intelectual de su país y de su América. Por esos caminos han tratado de avanzar esfuerzos posteriores, con resultados como *Identidad cultural de Hispanoamérica. Europeísmo y originalidad americana* (1988), de María Teresa Martínez Blanco. El atractivo de esos planteamientos no ha sido alcanzado por quienes han pretendido un análisis más específicamente literario, como David William Foster en *Para una lectura semiótica del ensayo latinoamericano* (1983).

Desde luego los autores más significativos han sido estudiados con rigor variable, sobre todo aquellos que habían dedicado al ensayo sus mejores esfuerzos, como Domingo Faustino Sarmiento, o José Enrique Rodó, o Alfonso Reyes. Cuando el interés ha derivado hacia otras parcelas de la producción literaria de un escritor determinado —son los casos de Jorge Luis Borges o de Octavio Paz, entre otros—, el ensayo ha servido ante todo para explicar esa otra obra «de creación» o ha permanecido en la sombra. En cualquier caso, resulta evidente que cada día es mayor la atención que se presta a quienes contribuyeron y contribuyen de esa forma decisiva a configurar la cultura latinoamericana del pasado y del presente. Lo demuestran las ediciones recientes de esos clásicos de la literatura y del pensamiento. La Biblioteca Ayacucho, en la que han encontrado un lugar excepcionalmente amplio junto a poetas y narradores, constituye un ejemplo digno de mención.

Otra cuestión es la relativa a las crónicas de Indias, afectadas en las últimas décadas por un interés siempre creciente hacia la fabulosa creación verbal del Nuevo Mundo. Ediciones y estudios se han multiplicado en las últimas fechas, favorecidos a veces por las circunstancias derivadas de la inminente celebración del Quinto Centenario del Descubrimiento. No obstante, quizá el estudio más útil y completo es aún la ya antigua *Historiografía indiana* (1964) de Francisco Esteve Barba.

BIBLIOGRAFÍA

Ante la imposibilidad de dar cuenta de la producción completa de todos los ensayistas, he optado casi siempre por anotar las obras más destacadas de aquellos a los que he dedicado una mayor atención, en ediciones que por su calidad, por su fácil acceso o por otra razón cualquiera, me han parecido de especial interés. Con los mismos criterios restrictivos he hecho la selección de los estudios dedicados al tema: con alguna excepción, casi siempre impuesta por las citas que aparecen en mi estudio, incluyo únicamente libros, y he preferido los específicamente dedicados al ensayo, en su totalidad o en alguno de sus aspectos o etapas, y los que se ocupan de los autores más sobresalientes.

AGOSTI, Héctor P., MASTRONARDI, Carlos, y otros, *El ensayo argentino: 1930-1970*, antología y selección por Rodolfo A. Borello, prólogo y notas de Juan Carlos Gentile, Buenos Aires, Centro Editor de América Latina, 1981.

ANGLERÍA, Pedro Mártir de, *Décadas del Nuevo Mundo*, estudio y apéndice de Edmundo O'Gorman, traducción del latín de Agustín Millares Carlo, México, José Porrúa e Hijos, dos vols., 1964.

ARDAO, Arturo, *Espiritualismo y positivismo en el Uruguay*, México, Fondo de Cultura Económica, 1950.

BELLO, Andrés, *Obra literaria*, selección y prólogo de Pedro Grases, cronología de Oscar Sambrano Urdaneta, Caracas, Biblioteca Ayacucho, 1979.

BIAGINI, Hugo E. (compilador), *El movimiento positivista argentino*, Buenos Aires, Editorial de Belgrano, 1985.

BLANCO FOMBONA, Rufino, *Ensayos históricos*, prólogo de Jesús Sanoja Hernández, selección y cronología de Rafael Ramón Castellanos, Caracas, Biblioteca Ayacucho, 1981.

BOLÍVAR, Simón, *Discursos, proclamas y epistolario político*, edición de Mario Hernández Sánchez-Barba, Madrid, Editora Nacional, 1981.

—, *Doctrina del Libertador*, prólogo de Agustín Mijares, selección, notas y cronología de Manuel Pérez Vila, Caracas, Biblioteca Ayacucho, 1976.

BORGES, Jorge Luis, *Obras completas*, Buenos Aires, Ediciones Emecé, tres vols., 1989.

BRADING, David A., *Mito y profecía en la historia de México*, México, Vuelta, 1988.

BROWN, Gerardo, y JASSEY, William, *Introducción al ensayo americano* (antología), Nueva York, Las Américas Publishing Company, 1968.

CARPENTIER, Alejo, *Tientos y diferencias*, La Habana, Unión de Escritores y Artistas, 1974.

—, *Crónicas*, La Habana, Instituto Cubano del Libro, Editorial Arte y Cultura, dos vols., 1976.

—, *La novela hispanoamericana en vísperas de un nuevo siglo y otros ensayos*, Madrid, Siglo XXI de España Editores S. A., 2.ª edición, 1981.

CARRIÓ DE LA VANDERA, Alonso, *El Lazarillo de ciegos caminantes*, introducción, cronología y bibliografía de Antonio Lorente Medina, Caracas, Biblioteca Ayacucho, 1985.

CASAS, Bartolomé de las, *Brevísima relación de la destrucción de las Indias*, edición de André Saint-Lu, Madrid, Cátedra, 1984.

CLAVIJERO, Francisco Javier, *Historia Antigua de México*, edición y prólogo de Mariano Cuevas, México, Editorial Porrúa, 4 vols., 1958-1959.

COBO BORDA, Juan Gustavo, y RUIZ, Jorge Eliézer, *Ensayistas colombianos del siglo XX*, Bogotá, Instituto Colombiano de Cultura, 1976.

COLÓN, Cristóbal, *Textos y documentos completos*, edición, prólogo y notas de Consuelo Varela, Madrid, Alianza Universidad, 1982.

CRAWFORD, William Rex, *El pensamiento latinoamericano de un siglo*, México, Limusa-Wilwy, 1966.

CRO, Stelio, *Realidad y utopía en el descubrimiento de la América Hispana (1492-1682)*, Troy Michigan/Madrid, International Books Publishers/Fundación Universitaria Española, 1983.

CRUZ, Sor Juana Inés de la, *Respuesta a sor Filotea*, Barcelona, Ed. Laertes, 1979.

CHANG-RODRÍGUEZ, Eugenio, *Poética e ideología en José Carlos Mariátegui*, Madrid, José Porrúa Turanzas, 1983.

CHANG-RODRÍGUEZ, Raquel, *Violencia y subversión en la prosa colonial hispanoamericana, siglos XVI y XVII*, Madrid, José Porrúa Turanzas, 1982.

CHIARAMONTE, José Carlos (editor), *El pensamiento de la Ilustración. Economía y sociedad iberoamericanas en el siglo XVIII*, Caracas, Biblioteca Ayacucho, 1979.

DÍAZ DEL CASTILLO, Bernal, *Historia verdadera de la conquista de la Nueva España*, edición crítica de Carmelo Sáenz de Santamaría, Madrid, C.S.I.C., Instituto «Gonzalo Fernández de Oviedo», 1982.

DÍAZ RODRÍGUEZ, Manuel, *Narrativa y ensayo*, selección y prólogo de Orlando Araujo, cronología de María Beatriz Medina, Caracas, Biblioteca Ayacucho, 1982.

DURAND, José, *El Inca Garcilaso, clásico de América*, México, Secretaría de Instrucción Pública (SepSetentas, 259), 1976.

EARLE, Peter G., y MEAD, Robert G., *Historia del ensayo hispanoamericano*, México, Ediciones de Andrea, 1973.

ESPINOSA MEDRANO, Juan de, *Apologético*, selección, prólogo y cronología de Augusto Tamayo Vargas, Caracas, Biblioteca Ayacucho, 1982.

ESTEVE BARBA, Francisco, *Historiografía indiana*, Madrid, Gredos, 1964.

FERNÁNDEZ DE OVIEDO, Gonzalo, *Historia general y natural de las Indias*, edición de Juan Pérez de Tudela Bueso, Madrid, Biblioteca de Autores Españoles, 117-121, 1959.

FERNÁNDEZ RETAMAR, Roberto, *Calibán: Apuntes sobre la cultura en nuestra América*, México, Editorial Diógenes, 1971.

FOSTER, David William, *Para una semiótica del ensayo latinoamericano: textos representativos*, Madrid, José Porrúa Turanzas, 1983.

FRANCOVICH, Guillermo, *El pensamiento boliviano en el siglo XX*, México, Fondo de Cultura Económica, 1976.

FRANKL, Victor, *Espíritu y camino de Hispanoamérica. La cultura hispanoamericana y la filosofía europea*, Bogotá, Ministerio de Educación Nacional, 1953.

GAOS, José, *El pensamiento hispanoamericano*, México, El Colegio de México, 1944.

GARCÍA CALDERÓN, Francisco, *Las democracias latinas de América. La creación de un continente*, prólogo de Luis Alberto Sánchez, cronología de Angel Rama y Marlene Polo, Caracas, Biblioteca Ayacucho, 1979.

GARCILASO DE LA VEGA, «el Inca», *Los comentarios reales*, edición de Aurelio Miró Quesada, Caracas, Biblioteca Ayacucho, dos vols., 1976.

—, *La Florida*, introducción y notas de Carmen de Mora, Madrid, Alianza Editorial, 1988.

GERBI, Antonello, *La disputa del Nuevo Mundo. Historia de una polémica, 1750-1900*, México, Fondo de Cultura Económica, 1960.

GONZÁLEZ, Aníbal, *La crónica modernista hispanoamericana*, Madrid, Ediciones Porrúa Turanzas, 1983.

GONZÁLEZ PRADA, Manuel, *Páginas libres. Horas de lucha*, prólogo y notas de Luis Alberto Sánchez, Caracas, Biblioteca Ayacucho, 1976.

GÓMEZ-MARTÍNEZ, José Luis, *Pensamiento hispanoamericano: una aproximación bibliográfica*, separata de *Cuadernos Salmantinos de Filosofía*, núm. 8, 1981, págs. 287-400.

HALE, Charles A., *El liberalismo mexicano en la época de Mora, 1821-1853*, Méwico, Siglo XXI, 1977.

HALPERIN DONGHI, Tulio (editor), *Proyecto y construcción de una nación (Argentina 1846-1880)*, selección, prólogo y cronología de..., Caracas, Biblioteca Ayacucho, 1980.

—, *El pensamiento de Echeverría*, Buenos Aires, Sudamericana, 1951.

HAMILTON, Carlos D., *El ensayo hispanoamericano* (antología), Madrid, Ediciones Iberoamericanas, 1972.

HENRÍQUEZ UREÑA, Pedro, *Las corrientes literarias en la América Hispánica*, México, Fondo de Cultura Económica, 1949.

—, *La utopía de América*, prólogo de Rafael Gutiérrez Girardot, compilación y cronología de Angel Rama y Rafael Gutiérrez Girardot, Caracas, Biblioteca Ayacucho, 1978.

—, *Obras completas*, edición de Juan Jacobo de Lara, Santo Domingo, Universidad Nacional Pedro Henríquez Ureña, 10 vols., 1976-1980.

HERNÁNDEZ SÁNCHEZ-BARBA, Mario, *Historia y literatura en Hispanoamérica (1492-1820)*, Madrid, Fundación Juan March / Editorial Castalia, 1978.

HOSTOS, Eugenio María de, *Obras completas*, San Juan, Instituto de Cultura Puertorriqueña, 20 vols., 1969.

—, *Moral social. Sociología*, prólogo y cronología de Manuel Maldonado-Denis, Caracas, Biblioteca Ayacucho, 1982.

IÑIGO MADRIGAL, Luis (coordinador), *Historia de la literatura hispanoamericana. I. Época colonial,* Madrid, Cátedra, 1982.

—, (coordinador), *Historia de la literatura hispanoamericana. II. Del neoclasicismo al modernismo*, Madrid, Cátedra, 1987.

JARAMILLO URIBE, Jaime, *El pensamiento colombiano en el siglo XIX,* Bogotá, Temis, 1964.

JITRIK, Noé, *El mundo del ochenta,* Buenos Aires, Centro Editor de América Latina, 1982.

KEYSERLING, Hermann von, *Meditaciones suramericanas,* Madrid, Espasa-Calpe, 1933.

LARA, Juan Jacobo de, *Pedro Henríquez Ureña: su vida y su obra,* Santo Domingo, Universidad Nacional Pedro Henríquez Ureña, 1975.

LÁSCARIS, Constantino, *Historia de las ideas en Centroamérica,* San José, EDUCA, 1970.

LASTARRIA, José Victorino, *Recuerdos literarios,* Santiago de Chile, Librería de M. Servat, segunda edición, 1885.

LASTRA, Pedro, *Relecturas hispanoamericanas,* Santiago de Chile, Editorial Universitaria, 1986.

LEVY, Kurt L., y ELLIS, Keith (editores), *El ensayo y la crítica literarias en Iberoamérica,* Toronto, Universidad de Toronto, 1970.

LEZAMA LIMA, José, *El reino de la imagen,* selección, prólogo y cronología de Julio Ortega, Caracas, Biblioteca Ayacucho, 1981.

LÓPEZ DE GÓMARA, Francisco, *Historia general de las Indias,* Barcelona, Editorial Iberia, 2 vols., 1954.

LÓPEZ GONZÁLEZ, Julio César, *El ensayo y su enseñanza (dos ejemplos puertorriqueños),* Río Piedras, Editorial Universitaria, 1980.

LUGONES, Leopoldo, *"El payador" y antología de poesía y prosa,* prólogo de Jorge Luis Borges, selección, notas y cronología de Guillermo Ara, Caracas, Biblioteca Ayacucho, 1979.

LUNA, José Ramón, *El positivismo en la historia del pensamiento venezolano,* Caracas, Arte, 1971.

MALLEA, Eduardo, *Historia de una pasión argentina,* prólogo de Francisco Romero, Buenos Aires, Espasa-Calpe, 1939.

MARIÁTEGUI, José Carlos, *Siete ensayos de interpretación de la realidad peruana,* prólogo de Aníbal Quijano, notas y cronología de Elizabeth Garrels, Caracas, Biblioteca Ayacucho, 1979.

MARICHAL, Juan, *Cuatro fases de la historia intelectual latinoamericana (1810-1970),* Madrid, Fundación Juan March-Editorial Cátedra, 1978.

MARINELLO, Juan, *Once ensayos martianos,* La Habana, Comisión Nacional Cubana de la UNESCO, 1964.

MARTÍ, José, *Obras Completas,* La Habana, Editorial Nacional de Cuba, 27 vols., 1963-1965.

—, *Nuestra América*, prólogo de Cintio Vitier, selección y notas de Hugo Achugar, cronología de Cintio Vitier, Caracas, Ayacucho, 1977.

—, *Obra literaria*, prólogo, notas y cronología de Cintio Vitier, Caracas, Biblioteca Ayacucho, 1978.

MARTÍNEZ, José Luis, *El ensayo mexicano moderno* (antología), México, Fondo de Cultura Económica, dos vols., 1958 (segunda edición revisada y ampliada, 1971).

—, *Unidad y diversidad de la literatura hispanoamericana*, México, Joaquín Mortiz, 1972.

MARTÍNEZ BLANCO, María Teresa, *Identidad cultural de Iberoamérica. Europeísmo y originalidad americana*, Madrid, Editorial de la Universidad Complutense, 1988.

MARTÍNEZ ESTRADA, Ezequiel, *Radiografía de la Pampa*, Buenos Aires, Babel, 1933.

MATAMORO, Blas, *Oligarquía y literatura*, Buenos Aires, Ediciones del Sol, 1975.

MEAD, Jr., Robert G., *Breve historia del ensayo hispanoamericano*, México, Ediciones de Andrea, 1956.

—, y EARLE, Peter G., *Historia del ensayo hispanoamericano*, México, Ediciones de Andrea, 1973.

MEJÍA SÁNCHEZ, Ernesto, y GUILLÉN, Fedro, *El ensayo actual latinoamericano (antología)*, México, Comunidad Latinoamericana de Escritores y Ediciones de Andrea, 1971.

MIER, fray Servando Teresa de, *Memorias*, edición y prólogo de Antonio Castro Leal, México, Editorial Porrúa, dos tomos, 1946.

MONTALVO, Juan, *Las Catilinarias. El Cosmopolita. El Regenerador*, selección y prólogo de Benjamín Carrión, cronología y notas de Gustavo Alfredo Jácome, Caracas, Biblioteca Ayacucho, 1977.

NÚÑEZ CABEZA DE VACA, Alvar, *Naufragios*, edición, introducción y notas de Trinidad Barrera, Madrid, Alianza Editorial, 1985.

ORTIZ, Fernando, *Contrapunteo cubano del cubano y del azúcar*, prólogo y cronología de Julio Le Riverend, Caracas, Biblioteca Ayacucho, 1978.

PASTOR, Beatriz, *Discurso narrativo de la Conquista de América*, La Habana, Casa de las Américas, 1983.

PAZ, Octavio, *Cuadrivio*, México, Joaquín Mortiz, 2.ª edición, 1969.

—, *El laberinto de la soledad*, México, Fondo de Cultura Económica, 1972.

—, *El signo y el garabato*, México, Joaquín Mortiz, 2.ª edición, 1975.

—, *Conjunciones y disyunciones*, México, Joaquín Mortiz, 1978.

—, *Las peras del olmo*, Barcelona, Seix Barral, 1982.

—, *Claude Lévy-Strauss o el nuevo festín de Esopo*, México, Joaquín Mortiz, 8.ª edición, 1984.

PELLICER, Rosa, *La mirada del Nuevo Mundo (imágenes americanas del descubrimiento y la conquista)*, Zaragoza, Comisión Aragonesa Quinto Centenario, 1989.

PEÑA MUÑOZ, Margarita, *Sor Juana Inés de la Cruz a la luz de la «Respuesta a sor Filotea»*, Salamanca, Colegio de España, 1983.

PICÓN-SALAS, Mariano, *De la conquista a la independencia: tres siglos de historia cultural hispanoamericana*, México, Fondo de Cultura Económica, 1944 (4.ª reimpresión 1969).

PINILLA, Norberto, ROJAS, Manuel, y LAGO, Tomás, *1842. Panorama y significación del romanticismo literario. José Joaquín Vallejo. Sobre el romanticismo*, Santiago, Ediciones de la Universidad de Chile, 1942.

PORTUONDO, José Antonio, *El contenido social de la literatura cubana*, México, El Colegio de México, 1944.

PRIETO, Adolfo, *La literatura autobiográfica argentina*, Rosario, Facultad de Filosofía y Letras, 1963.

PUPO-WALKER, Enrique, *La vocación literaria del pensamiento histórico en América. Desarrollo de la prosa de ficción: siglos XVI, XVII, XVIII y XIX*, Madrid, Gredos, 1982.

RAMA, Carlos M. (editor), *Utopismo socialista (1830-1893)*, Caracas, Biblioteca Ayacucho, 1977.

RANGEL GUERRA, Alfonso, *Las ideas literarias de Alfonso Reyes*, México, El Colegio de México, 1989.

REST, Jaime, *El laberinto del universo. Borges y el pensamiento nominalista*, Buenos Aires, Librerías Fausto, 1976.

REYES, Alfonso, *Obras Completas*, México, Fondo de Cultura Económica, 19 vols., 1955-1968; *Obras completas*, 21 vols., México, Fondo de Cultura Económica, 1976-1981.

—, *Prosa y poesía*, edición de James Willis Robb, Madrid, Cátedra, 1977.

RIPOLL, Carlos (editor), *Conciencia intelectual de América. Antología del ensayo hispanoamericano*, Nueva York, Eliseo Torres and Sons, 1974.

RODÓ, José Enrique, *Obras completas*, introducción y notas de Emir Rodríguez Monegal, Madrid, Aguilar, 1967.

—, *Ariel. Motivos de Proteo*, prólogos de Carlos Real de Azúa, edición y cronología de Angel Rama, Caracas, Biblioteca Ayacucho, 1976.

RODRÍGUEZ FREYLE, Juan, *El Carnero o Conquista y descubrimiento del Nuevo Reino de Granada*, edición de Darío Achury, Caracas, Biblioteca Ayacucho, 1979.

ROIG, Arturo Andrés, *Teoría y crítica del ensayo latinoamericano*, México, Fondo de Cultura Económica, 1981.

ROGGIANO, Alfredo A., *Pedro Henríquez Ureña en México*, México, Universidad Nacional Autónoma, Facultad de Filosofía y Letras, 1989.

ROMERO, José Luis (editor), *Pensamiento conservador (1815-1898)*, Caracas, Biblioteca Ayacucho, 1978.

—, (editor), *Pensamiento político de la emancipación (1790-1825)*, Caracas, Biblioteca Ayacucho, dos vols., 1977.

SÁBATO, Ernesto, *El escritor y sus fantasmas*, Barcelona, Seix Barral, 1981.

SACOTO, Antonio, *El indio en el ensayo de la América española*, Nueva York, Las Américas, 1971.

SANÍN CANO, Baldomero, *El oficio de lector*, compilación, prólogo y cronología de Juan Gustavo Cobo Borda, Caracas, Biblioteca Ayacucho, s. f.

SANJUAN, Pilar, *El ensayo hispánico. Estudio y antología*, Madrid, Gredos, 1954.

SANTA CRUZ Y ESPEJO, Francisco Eugenio de, *Obra educativa*, edición, prólogo, notas y bibliografía de Philip L. Astuto, Caracas, Biblioteca Ayacucho, 1981.

SARDUY, Severo, *Ensayos generales sobre el barroco*, Buenos Aires, Fondo de Cultura Económica, 1987.

SARMIENTO, Domingo Faustino, *Facundo*, prólogo de Noé Jitrik, notas y cronología de Nora Dottori y Silvia Zanetti, Caracas, Biblioteca Ayacucho, 1977.

SIERRA, Justo, *Evolución política del pueblo mexicano*, prólogo y cronología de Abelardo Villegas, Caracas, Biblioteca Ayacucho, 1977.

SIGÜENZA Y GÓNGORA, Carlos de, *Seis obras*, prólogo de Irving A. Leonard, edición, notas y cronología de William G. Bryant, Caracas, Biblioteca Ayacucho, 1984.

—, *Infortunios de Alonso Ramírez*, edición de Lucrecio Pérez Blanco, Madrid, Historia 16, 1988.

SKIRIUS, John (compilador), *El ensayo hispanoamericano del siglo XX*, México, Fondo de Cultura Económica, 1981.

STABB, Martín S., *América Latina en busca de una identidad. Modelos del ensayo ideológico hispanoamericano, 1890-1960*, Caracas, Monte Avila Editores, 1969.

UGARTE, Manuel, *La nación latinoamericana*, compilación, prólogo, notas y cronología de Norberto Galasso, Caracas, Biblioteca Ayacucho, 1978.

VARONA, Enrique José, *Textos escogidos*, ensayo de interpretación, acotaciones y selección de Raimundo Lazo, México, Porrúa, 1968.

VÁSQUEZ, Alberto M. (editor), *El ensayo en Hispanoamérica*, Nueva Orleans, El Colibrí, 1972.

VITIER, Medardo, *Del ensayo americano*, México, Fondo de Cultura Económica, 1945.

ZAVALA, Silvio, *Filosofía de la conquista*, México, Fondo de Cultura Económica, 1972.

ZEA, Leopoldo, *El pensamiento latinoamericano*, Barcelona, Ariel, 1976.

—, (editor), *Pensamiento positivista latinoamericano*, dos vols., Caracas, Biblioteca Ayacucho, 1980.

ZUM FELDE, Alberto, *Indice crítico de la literatura hispanoamericana. Los ensayistas*, México, Editorial Guarania, 1954.

ESTE LIBRO SE TERMINÓ DE IMPRIMIR EN LOS
TALLERES GRÁFICOS DE UNIGRAF, S. A., EN
MÓSTOLES (MADRID), EN EL MES DE
OCTUBRE DE 1990